D1126908

POURQUOI SUIS-JE TIMIDE?

LES EDITIONS QUEBECOR
225 est, rue Roy
Montréal, Qué. H2W 2N6
Tél. : (514) 282-9600

Distributeur exclusif :
AGENCE DE DISTRIBUTION POPULAIRE INC.
955, rue Amherst
Montréal, Qué. H2L 3K4
Tél. : (514) 523-1182

Couverture :
PRODUCTIONS J.L.M.

Composition et mise en pages :
TECSULT LTEE.

Dépôts légaux, premier trimestre 1979 :
Bibliothèque nationale du Québec
Bibliothèque nationale du Canada
ISBN 2-89089-002-3

NORMAN B. ROHRER
S. PHILIP SUTHERLAND

POURQUOI SUIS-JE TIMIDE ?

Au doux
Qui héritera de la Terre

SOMMAIRE

Personne n'aime
ce qui l'effraie

Aristote

MOT DE L'EDITEUR

Tout le monde a vécu l'angoisse de la timidité. La plupart des gens échappent à cette prison culturelle qu'ils ont bâtie eux-mêmes, mais combien n'en sortent pas !

Au cours d'une étude réalisée auprès de 5 000 étudiants des niveaux secondaire et collégial, le Dr Philips G. Zimbardo, professeur de psychologie à l'université Stanford de Palo Alto, en Californie, devait découvrir que 40% des sujets interrogés se considéraient comme timides. Si l'on applique cette proportion aux Québécois, qui sont aussi des Nord-Américains, on arrive au nombre fantastique de 2 millions et demi de timides, dont 10% se reconnaissent même extrêmement timides.

Ce livre pratique identifie les types et les causes de la timidité et offre à ceux qui en souffrent l'aide qu'il leur faut pour remettre de l'ordre dans leur vie. Pour écrire ce livre, deux hommes ont combiné leurs efforts. L'un d'eux est un pasteur, qui a vaincu sa propre timidité pour devenir un des écrivains chrétiens les plus prolifiques des Etats-Unis ; l'autre est un psychothérapeute, qui possède son propre bureau en Californie, tout en enseignant la psychologie dans un collège.

Je laisse le soin, dans les pages qui suivent, à chacun de ces auteurs de se présenter rapidement à vous, puis de vous offrir l'aide dont les timides ont besoin pour ouvrir les portes de leurs cellules mentales et pour profiter librement de toutes les joies d'une vie que Dieu leur a donnée.

MOT DES AUTEURS

Sur la ferme de Pennsylvanie où j'ai grandi, mes parents avaient créé une atmosphère familiale idéale pour leurs six enfants. Cinq d'entre nous devaient en profiter pour s'épanouir ; quant à moi, une timidité précoce allait me handicaper de façon dramatique.

À l'école, je n'avais aucun ami et ne savais même pas ce que signifiait l'expression « relations enrichissantes ». Mon attitude intolérante me torturait. Etais-je passif de naissance ? Ma timidité était-elle une tombe que je creusais délibérément ? J'étais tellement anxieux que je ne pus même pas compléter ma neuvième année. Mon père devait finalement me retirer d'une institution que je haïssais et, à quatorze ans, j'arrêtais officiellement mes études pour me cloîtrer dans une retraite maladive.

A vingt ans, je me trouvais à la tête d'un groupe de jeunes gens de notre Eglise en visite, pour quelques jours, dans une université du sud de l'Etat. Mes yeux avaient commencé à souffrir d'astigmatisme et, sans lunettes, j'avais tendance à pleurer. Un ami remarqua ces larmes et s'inquiéta. J'essayai d'être drôle en répondant : *Je veux ma maman !*

Les rires et les moqueries de mes amis me firent bouillir le sang. Trop timide pour leur aplatir le nez, et incapable d'expliquer ma plaisanterie ratée, je pris la décision de leur prouver que je n'étais pas un fils à maman et que je pouvais me débrouiller tout seul. Aussitôt revenu à la maison, je fis mes bagages et pris la route.

Mes pérégrinations allaient me conduire dans la plupart des Etats de l'Europe, aux Antilles, au Mexique et au Canada. Finalement, j'atterris au collège Wheaton où, quatre ans plus tard, après avoir complété mon secondaire en deux jours, je décrochais un baccalauréat ès Arts. Par la suite, je m'inscrivis dans un séminaire de l'Indiana, où j'obtins une maîtrise en théologie. En 1956, pour couronner le tout, je demandai la main d'une magnifique Californienne, qui me donna deux enfants.

Aujourd'hui, ma timidité ne m'a pas complètement lâché et, de temps en temps, elle me le fait savoir, mais c'est maintenant une ennemie que je contrôle. Un coup d'œil en arrière me permet d'apprécier tout le chemin parcouru depuis que j'ai quitté les rangs des timides.

Après s'être reconnus, dans les pages qui vont suivre, les timides comprendront mieux la situation fâcheuse dans laquelle ils se trouvent. Ils apprendront à discerner et à vaincre le désir irraisonné de perfection, la sensation de dépendance, et les bouffées de colère qui caractérisent les grands timides. La lutte ne sera pas facile, mais à force de persévérance et de patience, l'année prochaine, ils seront des êtres nouveaux.

Et fiers de se lancer dans leur nouvelle vie.

Norman B. Rohrer

* * *

La guerre que mon collègue a menée contre sa propre timidité, un nombre incroyable de gens l'ont également vécue. Tout le monde souffre plus ou moins de timidité, mais peu de gens en comprennent la nature et le rôle.

Des vingtaines de timides viennent à mon bureau, chaque semaine. Vous en rencontrerez quelques-uns dans ce livre, sous des pseudonymes, naturellement. Ces clients découvrent de nouvelles façons excitantes de vaincre leur handicap commun. Leur timidité diminue et fait place à un monde nouveau de sentiments et de réactions. Ils apprennent, en fait, à composer de façon active avec les situations et les gens.

Les changements dramatiques et instantanés ne se produisent qu'à la télévision et dans les romans médiocres, mais ils sont plutôt rares chez les clients d'un psychothérapeute. Pour la plupart, la libération est lente, mais elle est possible, quel que soit l'âge du timide.

J'ai vu des enfants d'âge préscolaire, timides et pitoyables, se transformer en personnes actives, mêlées à leur milieu. Des clients de quarante ou cinquante ans ont adopté une attitude positive ; même des sexagénaires ou des septuagénaires ont trouvé finalement leur épanouissement.

Aucun timide n'est un malade incurable, condamné à une vie de souffrances. Ce livre vous explique pourquoi vous êtes timide, vous apprend à comprendre vos craintes chroniques et vous suggère des façons de changer votre attitude mentale, jusqu'à une libération complète.

Pour déterminer à quel point vous êtes actuellement timide, procédez à l'auto-analyse qui va suivre. Il ne s'agit pas d'un test. On ne peut parler de réponses bonnes ou mauvaises. C'est simplement un instrument qui vous permet de découvrir la nature et les causes de vos souffrances. Après avoir complété cet exercice, rangez-le soigneusement et commencez à lire le livre. Il est important, cependant, que vous procédiez à cette auto-analyse avant de commencer votre lecture.

Il est naturellement impossible de devenir, du jour au lendemain, un chevalier sans peur et sans reproche, sauf dans les contes de fée. Cependant, si vous apprenez à vous connaître et à vous accepter, vous serez suffisamment armé pour affronter « le dragon de la timidité ». Une fois que vous l'aurez terrassé, vous n'aurez plus qu'à ouvrir la porte de votre cage.

S. Philip Sutherland

AUTO-ANALYSE

A compléter avant de lire ce livre

Cette analyse a été conçue pour vous permettre une introspection personnelle. Quand vous l'aurez complétée, rendez-vous à la page 121 pour y trouver l'interprétation de vos réponses.

1 - Dessinez un cercle, un carré, une étoile et la lettre S. En utilisant un, plusieurs ou chacun de ces symboles, amusez-vous à remplir une feuille de papier, différente pour chaque symbole, pendant quinze minutes.

2 - Imaginez-vous dans une pièce de théâtre, dans la distribution suivante :

Héros	Fille	Infirmière
Héroïne	Père	Professeur
Vilain	Mère	Prés. de banque
Maître d'hôtel	Aîné	Servante
Fils	Benjamin	Maire

Quel rôle vous attribueriez-vous et pourquoi ?
Quel rôle vos amis choisiraient-ils pour vous et pourquoi ?

3 - Si vous deviez vous transformer en animal, lequel voudriez-vous être et pourquoi ?

4 - De tous les personnages fameux, réels ou fictifs, passés ou présents, lequel voudriez-vous être et pourquoi ?

5 - Exprimez dans une courte dissertation ce que vous ressentez envers votre propre sexualité. Lâchez la bride à

vos caprices et à vos craintes. Ajoutez-y tout ce que vous pensez au sujet du sexe opposé et la façon dont vous vous comportez à son égard. Il est essentiel d'être honnête.

6 - Rédigez sur une feuille distincte une autobiographie de votre timidité. Remontez à vos souvenirs d'enfance et racontez brièvement les circonstances durant lesquelles votre timidité vous a fait souffrir, et ce, jusqu'à vos expériences les plus récentes. Exprimez franchement vos sentiments, vos craintes et vos caprices.

7 - Complétez les phrases suivantes :

a. La plupart des gens ont besoin de ________________

____

b. Je suis au comble du bonheur quand ______________

____

c. Quand j'étais enfant _________________________

____

d. Ce que je préfère, à mon sujet, c'est ______________

____

e. Ce qui me déplaît le plus, en moi, c'est ____________

____

f. Ma mère __________________________________

____

g. Mon père ____________________

____

h. Les garçons ____________________

____

i. Les filles ____________________

____

j. Je suis embarrassé quand ____________________

____

k. Je me sens le plus fort quand ____________________

____

l. Quand je me pose des questions, je ____________________

____

m. Je souhaite ____________________

____

n. Je hais ____________________

____

o. Les gens ne devraient pas ____________________

____

p. Si j'établissais des règlements, je ________________

____

q. Personne de devrait jamais ________________

____

1 POURQUOI ÊTES-VOUS TIMIDE ?

Le brave et l'audacieux affrontent avec courage la mauvaise fortune ; la peur, à elle seule, suffit pour plonger dans le désespoir le timide et le lâche.

TACITE

La journée a particulièrement été pénible à l'usine et, aussitôt entré à la maison, l'ouvrier s'est carré dans son fauteuil pour lire son journal.

Soudain, il ferme son journal, le pose à terre, sourit malicieusement, choisit son disque favori et met en marche le tourne-disque. En entendant cette musique harmonieuse, sa femme quitte sa cuisine pour se précipiter dans le salon et tomber dans les bras de son mari, qui l'entraîne dans une danse langoureuse. Entre deux baisers, tout en continuant de valser, son mari lui glisse à l'oreille, en souriant :

— *M'aimerais-tu davantage si j'étais le Premier ministre ?*

— *Oh non !* réplique vivement la danseuse.

—*Et pourquoi pas ?* insiste le mari.

— *Parce que je serais trop gênée !* répond-elle, en rougissant.

La plupart d'entre nous ressentirions la même gêne en face d'un Premier ministre. L'honnêteté de cette femme nous fait sourire. Pour des centaines de milliers d'entre nous, cependant, la timidité ne devrait pas nous faire sourire, surtout quand cette timidité nous paralyse, même au milieu de parents, de voisins ou d'amis. Ce fléau peut détruire des carrières, briser des rêves, miner des mariages et emprisonner ses victimes dans une attitude qui les amène à détester et à haïr le monde entier.

Les timides se pensent tous plus ou moins victimes de situations passées. *Je suis timide*, prétendent-ils, *parce que je suis né comme ça*, ou *parce que ma mère ne m'a jamais encouragé*, ou *parce que mon frère aîné réussissait tout et moi, rien*, ou *parce que ma soeur me donnait des complexes avec sa beauté*, ou *parce que la sévérité de mon père me paralysait.*

Les gens qui attribuent leur timidité à leur environnement courent le risque de ne jamais se corriger. Malheureusement, le cinéma, la littérature et la télévision les ancrent dans cette idée en leur présentant des gens victimes de leur passé, comme si ces personnages n'avaient jamais eu d'autres choix.

Façon de voir simpliste et surtout inexacte qui risque de convaincre les timides qu'ils sont handicapés à jamais. Au contraire, c'est en connaissant à fond les causes de leur timidité et, surtout, en mettant le doigt dessus, que les gens qui en souffrent commenceront à espérer, à avoir confiance en eux et, ce qui est plus important, à changer de mentalité et d'attitude.

Ce changement ne peut commencer que par la reconnaissance du postulat suivant : « Les gens ne sont pas uniquement victimes des circonstances. »

La façon dont les autres nous traitent est importante, bien sûr. Cependant, ce qui détermine notre personnalité, ce n'est pas tant leur attitude que nos réactions.

Prenons, comme exemple, deux enfants. Les deux répandent de la peinture sur le plancher de leur classe pendant le cours de dessin. Le premier ne perd pas la tête ; il prend des chiffons et efface la tache ; l'autre court cacher sa honte dans les toilettes. En fait, chacun de ces enfants réagit, sur le moment, de la façon qui lui semble la plus efficace. Les circonstances sont identiques, les réactions diamétralement opposées.

Deux sœurs sont réprimandées et punies pour avoir commis une bêtise. Leurs parents les envoient toutes deux dans leur chambre. L'aînée choisit les larmes et le repentir, tandis que l'autre s'enferme immédiatement dans sa chambre, se trouve une distraction et conclut qu'elle n'a rien fait de mal, malgré tous les ennuis qu'elle a pu causer.

Chacune a réagi d'une façon différente à des circonstances identiques. L'une et l'autre ont voulu se protéger d'un traumatisme psychologique. La première, pour ne pas perdre l'amour de ses parents a préféré reconnaître sa faute ; la plus jeune a choisi de préserver l'image de sa « perfection » plutôt que d'avouer une erreur qui, dans son esprit, l'aurait diminuée.

Deux hommes, dans un même emploi, sont congédiés et ont, suite à ce renvoi, des réactions totalement opposées. Le premier encaisse avec calme ce coup du sort qui, selon lui, fait partie de la vie, et il part immédiatement à la recherche d'un nouvel emploi. L'autre se sent insulté, blessé et rejeté. Il s'installe au comptoir d'un bar pour y noyer sa déception.

Encore une fois, des réactions différentes dans une situation analogue.

Le choix dépend de la personnalité de celui qui choisit. La façon selon laquelle une personne agit ou réagit, dépend d'une centaine de choix qu'elle a déjà dû faire en cours de vie. Certains de nos choix sont tellement automatiques que nous avons l'impression de ne pouvoir en avoir d'autres. En réalité, il s'agit d'un choix, mais d'un choix inconscient, parce que ce même choix, nous l'avons déjà fait dans des centaines de circonstances différentes. Ainsi, chaque fois que nous réagissons aux circonstances, nous faisons un choix.

Une magnifique divorcée, élevée dans un milieu rural, devait, dès sa prime enfance, se tromper dans ses choix et en souffrir pendant des années.

Nicole, toute jeune, avait l'habitude de s'asseoir sur le divan, à côté d'un père qu'elle vénérait. La petite fille était tellement bouleversée par l'amour et l'attention que celui-ci lui portait, qu'elle n'esquissait pas un geste, et ne prononçait pas une parole, de peur de briser le charme. Par son silence et sa passivité, elle croyait pouvoir retenir l'attention de son père.

Nicole avait choisi, dans de si nombreuses circonstances, de ne rien dire et de ne rien faire que sa passivité était devenue automatique. Résultat : une timidité extrême. Mais elle avait bel et bien choisi cette attitude.

D'autres enfants, dans les mêmes circonstances, auraient choisi d'être actifs pour capter l'attention de leur père. Ils lui auraient parlé, l'auraient embrassé, lui auraient posé des questions, ou lui auraient demandé de leur lire une histoire. Les enfants font un choix en suivant leur impulsion immédiate.

La timidité n'est pas une chose qu'une personne a et il n'est pas totalement exact d'affirmer que quelqu'un est timide. Le terme « timide » s'applique à un individu qui, dans la plupart des situations, choisit d'agir timidement parce que cette façon de faire le rassure.

La passivité — un choix, pas un hasard.

Si la timidité est une série de choix, qu'a-t-on choisi pour en arriver là ? On a choisi d'être passif dans ses relations avec les autres, de ne pas exprimer ses sentiments, de ne prêter aucune attention à autrui, de se réfugier dans ses rêves, ses caprices, son passé et d'ignorer le présent, la réalité. Le timide a une peur maladive de prêter attention à autrui.

Le contraire de la timidité, c'est l'action. Etre actif, c'est communiquer avec les autres, c'est exprimer ses sentiments, c'est respecter autrui, c'est bâtir sur la réalité plutôt que sur le rêve.

Un jeune joueur de hockey semblait avoir le talent voulu pour devenir un ailier d'une ligue majeure et, pourtant, il ne cessait de décevoir son instructeur. En fait, pendant les parties, il était tellement préoccupé par ses erreurs passées, et anxieux de ne pas les répéter, qu'il était incapable de rien qui vaille.

Il perdait toute concentration et toute efficacité en s'interrogeant sans cesse. Le sport ne souffre, la plupart du temps, aucune hésitation.

Etre actif, c'est vivre au présent. Etre passif, c'est penser à d'autres moments et à d'autres lieux.

Illusions de grandeur

La passivité, c'est le résultat du désir déraisonné d'être quelqu'un de bien, même si ce quelqu'un n'a rien à voir avec nous-même. Et plus large est le fossé entre ce que nous voulons être et ce que nous sommes réellement, plus grave est la pathologie de notre passivité.

Enfants, nous avons beaucoup à apprendre de la vie. A cause des limites de nos possibilités et de notre expérience, notre façon de voir est déformée. Nous nous pensons le centre du monde et nous en arrivons, d'une façon qui nous semble raisonnable, à la conclusion que notre mère n'est là que pour satisfaire nos caprices. Nous concluons également que nous possédons une sorte de pouvoir magique, qui nous permet de contrôler le monde, par la seule force de nos désirs. Nous voulons apaiser notre faim. Comme par magie, sans un geste de notre part, la nourriture vient à notre bouche et maman change notre couche. Dans la plupart des cas, les bébés ne peuvent agir, ils ne peuvent que désirer. A cause de sa dépendance et de son manque d'autonomie, l'enfant en arrive à la conclusion suivante : *Juste en le désirant assez fort, je peux changer mon monde. Moi, je n'ai rien à faire !* Cette façon de voir, les enfants de toutes les sociétés la partagent.

En développant cette perception, tout à fait particulière, du monde, l'enfant ne fait donc qu'une très vague distinction entre ses voeux et la réalité. Il se complaît naturellement à exprimer des voeux (c'est ce que les adultes appellent « rêver éveillé »). Cette attitude est à l'opposé d'un comportement actif.

Quand la réalité le désappointe, l'enfant se plonge dans ses rêves et souhaite les voir réalisés au plus tôt. Cette réaction chasse, pendant un moment, son anxiété ou sa dépression. Les enfants s'imaginent athlètes célèbres ; les adolescents, vedettes de musique disco ou danseurs ; les adultes, millionnaires ou séducteurs. Tous ces rêves leur permettent, quelque temps, d'oublier les dures réalités de la vie, mais... et s'ils se réalisaient ?

« Si seulement… »

Le timide préfère la passivité et le rêve à l'activité, et cela, au risque d'être banal ou médiocre. Son leitmotiv : *Si seulement…, alors les gens…* (Vous pouvez compléter cette phrase à votre gré.)

Ainsi la première proposition pourrait être :	***… et la seconde proposition pourrait être :***
Si seulement j'étais beau	*les gens me respecteraient*
Si seulement j'étais plus grand	*les gens me remarqueraient*
Si seulement j'étais plus dégourdi	*les gens m'aimeraient*
Si seulement je parlais mieux	*les gens me vénéreraient*
Si seulement je savais blaguer	*les gens ne pourraient me résister*

Les timides préfèrent se cantonner dans le rêve plutôt que de constater, avec amertume, qu'ils ne sont pas ce qu'ils voudraient être. Chaque fois que force nous est de reconnaître que nous ne sommes pas ce que nous voudrions être, ou que nous ne sommes pas traités comme nous le souhaiterions, nous ressentons une bouffée de colère. Si, sous l'impact de la réalité, nous sommes obligés de changer la perception que nous avons de nous-mêmes, et d'admettre que les autres peuvent nous traiter d'une façon différente de celle dont nous rêvions, nous avons tendance à nous déprimer. La dépression est la réponse du psychisme humain à une perte quelconque. A nous sentir obligés de changer notre façon de nous percevoir, nous ressentons une sensation de perte : la perte de la belle image que nous nous faisions de nous-mêmes. C'est pourquoi, de façon coutumière, la croissance d'un individu s'accompagne d'une dépression plus ou moins grave. Le cycle de croissance peut se résumer ainsi : « Nous nous forgeons notre propre image ; l'expérience ne confirme pas cette image ; nous devons donc la modifier. Résultat : nous passons au stade adulte ».

Voilà une façon dure, voire même cruelle, de saisir le dilemme dans lequel se trouve plongé le timide. Mais c'est la réalité. Admettre la place qu'occupe le rêve au fin fond de soi-même, c'est déjà un pas majeur vers l'amélioration.

Le souhait fondamental de chaque être humain, c'est d'être humain. Le timide se met dans la tête qu'en restant passif, et qu'en ne commettant aucune erreur, il sera aimé. *Si je suis actif et essaie d'établir des communications avec les autres,* se dit-il, *je risque de les repousser et de me voir abandonné.*

C'est le monde du « si seulement... » et il n'est pas très exaltant.

2 SUR LE DIVAN

Existe-t-il un donjon plus sombre que le coeur de l'homme et un geôlier plus inexorable que l'être humain ?
NATHANIEL HAWTHORNE

A écouter des milliers de clients, le conseiller s'aperçoit qu'il existe des caractéristiques communes à tous les timides.

La solitude

Louis était un maniaque de l'électronique, qui n'avait pour seul but, dans la vie, que de monter le meilleur système stéréophonique haute fidélité qui soit. La majeure partie de son chèque de paie passait dans ce hobby, et il n'avait que ce sujet à la bouche.

Quand il recevait des amis, il s'attendait à les voir suspendus à ses lèvres et ne pouvait supporter qu'ils lui parlent de leurs propres projets. S'il n'était pas le centre d'intérêt, il se sentait menacé, solitaire, mal aimé et déprimé. Graduellement, son « stéréo » allait devenir son seul compagnon. Ce combiné ne protestait ni ne menaçait jamais. Bien plus, un simple bouton suffisait pour le faire taire.

Il fallut, au cours du traitement découvrir les causes de cette vie de misère. Louis se contentait d'affirmer qu'il était « simplement de nature timide », mais où était la vérité ? Une thérapie suivie allait finalement la trouver. Dans sa prime enfance, Louis s'était attaché, de façon exagérée, à sa mère qui, de son côté, lui accordait toute son attention. Pour l'enfant, un monde idéal se composait d'une mère poule active et d'un petit garçon passif et réceptif. Toute situation, qui ne correspondait pas à ce concept, lui donnait l'impression de rompre avec sa mère et de la perdre. Il en était ainsi parvenu à penser que sa mère partageait son point de vue.

Avec une telle vision du monde, il allait échouer dans plusieurs collèges, malgré une intelligence assez vive. Il excellait dans les matières principalement axées sur la lecture, mais était incapable d'écrire un rapport, ou de réciter une leçon. Ecrire ou réciter, c'est être actif. En l'étant, Louis avait la sensation qu'il n'était plus le petit garçon passif et réceptif que sa mère aimait.

Finalement, Louis dut admettre son refus de vieillir, son refus d'endosser toute responsabilité. Ce n'est qu'après avoir découvert cette vérité que Louis a pu commencer à se libérer de sa passivité et de sa dépendance. Une nouvelle vie, faite de contacts humains enrichissants, s'ouvre à lui.

Un jeune célibataire de 22 ans, Pierre, connaissait aussi la solitude des timides. Il conduisait comme un pilote de course son camion à 18 roues, mais il était incapable de supporter la présence d'une femme.

A cause de l'interaction superficielle existant entre lui et sa mère, Pierre avait idéalisé la femme, l'avait placée sur un piédestal et la traitait comme s'il s'agissait d'une poupée fragile, qu'il devait protéger contre sa propre agressivité. Devant le sexe opposé, il était anxieux, servile et d'une douceur sirupeuse.

Ce n'est qu'après avoir admis que sa conception de la mère parfaite manquait de réalisme et après avoir fréquenté plusieurs femmes que Pierre réalisa qu'elles étaient aussi des êtres humains, avec leurs défauts, leur force et aussi leur cœur. Moins anxieux de commettre des bévues à leur égard, il vit sa timidité s'estomper rapidement.

L'ennui

Les timides s'ennuient fréquemment. Quand ils disent : *Il n'y a rien à faire*, ils veulent dire plutôt : *Mon environnement me laisse complètement indifférent.*

Les gens s'ennuient quand ils ont peur d'agir sur leur environnement, d'exprimer leurs sentiments à l'égard des êtres, des lieux et des choses qui les entourent. Une personne active et créative découvrira la couleur et la forme de chaque fleur en traversant un champ vide, alors qu'une autre, repliée sur elle-même, s'ennuiera, même au cœur d'une bataille. Pourquoi ? Le timide se referme sur lui-même, pour ne pas voir le monde qui l'entoure et qui... pourrait justement le tirer de son ennui.

L'ennui résulte de la peur d'agir sur son entourage et d'oublier, de ce fait, ses rêves. Quand ils se plaignent de s'ennuyer à l'école, les étudiants ont vite fait de blâmer l'institution qu'ils fréquentent. Leurs camarades, actifs eux, ne s'ennuient jamais. L'esprit curieux, ils liront un livre, esquisseront un dessin ou écriront un poème. Une personne saine s'ennuie rarement.

Où qu'il fût, Rembrandt ne pouvait que se distraire, parce qu'il voyait la beauté partout.

Après trois années dans un camp nazi, Victor Frankl devait témoigner qu'il n'avait jamais connu l'ennui.

C'est enfermé dans un monastère que Blaise Pascal a élaboré un système de mathématiques révolutionnaire.

L'ennui ne dépend pas de l'environnement. Cette sensation résulte de la façon dont vous laissez vos sentiments s'exprimer vis-à-vis de cet environnement.

La peur

Les effets de la timidité peuvent aller de la répugnance accidentelle de parler à une peur irrationnelle d'être détruit, ou de détruire les autres. La peur de l'échec prédomine chez les timides. Cette attitude, par ailleurs, présente certains avantages : elle peut nous obliger à travailler davantage pour réussir. D'excellents orateurs vous affirmeront que c'est cette peur qui les pousse à préparer si bien leurs discours. En réalité, cette peur de l'échec n'est pas une peur réelle. La peur véritable, c'est la peur d'être imparfait, c'est-à-dire de ne pas correspondre à l'image irréaliste qu'on s'est faite de soi-même. Une fois revenus sur terre, l'échec ne nous fait plus peur.

D'autres timides sont torturés par le dilemme :
J'ai besoin des gens
Je veux vivre avec les gens
Je dépends des gens
Les gens me font peur

A cause de leur passivité, ces personnes ne peuvent établir de contacts avec autrui. Leur vie presque tout entière est gâchée par la peur très réelle de ne pas être à la hauteur de l'image qu'elles se font d'elles-mêmes.

Le martyre

Les timides s'imposent souvent un martyre qui semble relever du masochisme. Ils aiment se sentir minables. Le type martyr choisit la passivité et l'impuissance pour inciter les autres à s'occuper de lui. *Ce sont les autres qui m'ont fait comme je suis*, conclut-il. Il serait plus exact de dire : *Si je suis faible et souffreteux, les autres s'attendriront sur moi. Si, au contraire, je prends conscience de ma force, on ne s'occupera plus de moi.* Quand ces gens-là se rendent compte qu'ils ont choisi de jouer les martyrs, pour continuer à jouer leur rôle d'enfants sans défense, le processus de guérison vient de s'amorcer.

L'imperfection

Nous pensons, d'habitude, que les complexes d'infériorité sont réels et que les timides en souffrent plus que quiconque. A force de les écouter me parler, sur le divan, pendant des milliers d'heures, j'en suis arrivé à la conclusion que ce n'est pas en se comparant aux autres qu'ils se sentent déprimés, mais en se comparant à la « perfection ».

Ce qui m'a amené à penser cela, c'est que normalement une personne saine ne se sent pas inférieure dans un domaine où, justement, elle est inférieure. Des gens brillants se sentent idiots ; d'excellents cuisiniers jugent leur repas raté ; ce sont les femmes les plus belles qui s'inquiètent le plus de leur apparence et c'est le musicien accompli qui refusera de se pardonner la moindre erreur.

Une telle anxiété ne peut simplement s'expliquer par une éventuelle sensation d'infériorité vis-à-vis d'autrui. Un ingénieur peut se sentir inférieur à un grand musicien quand il s'agit de musique, mais il ne ressentira aucune anxiété pour autant parce que cette infériorité, dans le domaine de la musique, il l'a acceptée. C'est dans les domaines où il est bon, et où il voudrait être parfait, qu'il risque le plus d'être perturbé.

Aussi étrange que cela puisse paraître, les timides se veulent toujours charmants, spirituels, fins causeurs, et ne se contentent pas d'attirer l'attention qu'occasionnellement. Plus une personne est perturbée par sa timidité, plus elle se fait des idées irréalistes sur la façon dont elle devrait être traitée par les autres en société.

Un comédien populaire, Gaston, était le centre de toutes les conversations ; on admirait son esprit vif et ses réparties. Durant sa thérapie, cependant, Gaston devait se plaindre que les gens ne semblaient pas le respecter. Avec le temps, il admit qu'en plus de se vouloir le centre d'attraction, il désirait aussi s'imposer par ses idées brillantes et être reconnu comme un intellectuel ; le reste ne lui suffisait pas.

Un collégien enjoué — quoique plutôt pédant et limité dans ses intérêts — essayait d'élargir le cercle de ses amis. Guy pensait que la gaieté suffisait pour se faire aimer ; aussi souriait-il tout le temps. Il fut bouleversé de constater que ses efforts ne lui attiraient pas l'armée d'amis qu'il en escomptait.

Bien au contraire, on l'ignorait. Il prit conscience qu'il était trop possessif, qu'il exigeait trop l'attention d'autrui. Il réalisa aussi qu'avec quelques accès de colère, et moins de sourires, il serait sans doute plus lui-même et plus apte à communiquer véritablement avec les autres. En corrigeant son attitude artificielle, il eut la chance, par la suite, de réussir son mariage, sa vie professionnelle et, surtout, sa vie intérieure.

Si tous les timides pouvaient avoir la même chance !

Une perspective nouvelle

Notre comportement dépend directement de la façon dont nous comprenons la situation du moment.

Nous agissons selon notre perception de nous-mêmes et du monde qui nous entoure. Une psychologue de renom, le Dr Kurt Lewin, emploie l'expression « vie-espace » pour décrire toutes les choses auxquelles nous accordons de l'importance à un moment donné, qu'elles soient extérieures ou intérieures à nous-mêmes. La plupart du temps, la conception que nous nous faisons de nous-mêmes inclut celle que nous nous faisons des autres. Celui qui se voit comme un chef imagine naturellement que les autres doivent lui obéir ; celui qui se voit passif, voit les autres actifs ; celui qui se voit victime, voit chez les autres des bourreaux ; mais toutes ces perceptions peuvent être irrationnelles.

Les changements définitifs de comportement ne se produisent que lorsque les gens changent leur façon de se voir et de voir les autres. Les diètes fracassantes, les cures anti-tabac et anti-alcool ne peuvent donner que des résultats temporaires si ceux qui les suivent ne changent pas leur vision d'eux-mêmes et de leur monde. Et que dire des fameuses résolutions du Jour de l'An ? Non, à moins de changer notre optique en profondeur, nos vieilles habitudes ne nous quittent pas si facilement !

Si, en entrant dans une pièce, un homme se dit : *Tout le monde me surveille ; il ne faut pas que je me trompe*, il sera effrayé, perdra ses moyens et sera maladroit. Qu'il se rende compte que la plupart des gens ne le regardent pas et que, de toute façon, une erreur n'est pas un désastre, il se mêlera alors au groupe avec beaucoup plus d'assurance. Ainsi sa perception de la situation était faussée par son désir d'être important, désir qui lui faisait croire que les gens le surveillaient.

Une femme qui se dit : *Je ne veux pas faire rire les gens en échappant une bêtise*, censurera chacune de ses paroles. Qu'elle reconnaisse que les gens acceptent fort bien nos imperfections, elle se souciera beaucoup moins de ses propos et deviendra plus naturelle. Tout dépend donc de la façon de se voir.

Quand un timide change sa façon de se voir, et de voir les autres, sa timidité n'est plus un problème.

Notez la différence énorme qui existe entre la façon de voir d'un timide et une vision plus réaliste :

Façon de voir d'un timide	***Façon de voir réaliste***
1- *Je suis une victime.*	1- *Je contribue à ma personnalité par mes choix.*
2- *On m'aimerait davantage si j'étais moins timide.*	2- *On m'aime davantage que je ne suis prêt à l'admettre.*
3- *Je serais plus heureux si j'étais un meilleur causeur.*	3- *Je veux vraiment devenir un fin causeur.*
4- *Je vais apprendre quelques blagues de façon à devenir le clou de la réunion.*	4- *On ne m'accordera jamais autant d'attention que je le voudrais.*
5- *Je ne veux pas être au sommet. Je veux seulement qu'on s'occupe de moi.*	5- *Je vise le sommet.*
6- *Je me sens inférieur, ça m'ennuie.*	6- *Rien ne m'ennuie autant que la perfection.*
7- *Un de ces jours, tout le monde me respectera.*	7- *A quelque chose près, les gens auront toujours de moi l'opinion qu'ils ont maintenant.*
8- *Je me sens, d'une certaine façon, mauvais et méchant.*	8- *Je ne suis pas plus méchant ou mauvais que n'importe qui.*
9- *Si je commets une erreur, les gens ne me respecteront plus.*	9- *Si je commets une erreur, les gens ne m'en aimeront que plus parce qu'alors je serai un des leurs.*
10- *Si seulement je paraissais mieux, je serais plus populaire.*	10- *Je parais mieux que je ne le pense.*
11- *Si je pouvais changer, je serais plus heureux.*	11- *C'est en m'acceptant comme je suis, et non comme je voudrais être, que je serai heureux.*

Peut-on aider les timides

La plupart des timides combattent avec vigueur pour garder leur façon de voir la vie. En fait, ils n'ont pas l'intention de se sortir de leurs problèmes. Même si leur comportement actuel ne les satisfait pas, ils craignent de renier l'idéal de perfection qu'ils s'étaient fixé de peur de se retrouver totalement seuls. Ils veulent concrétiser leurs idées de grandeur plutôt que d'en changer.

Ce qu'ils désirent surtout, quand ils se font soigner, c'est chasser les sensations désagréables qu'ils éprouvent à poursuivre leurs chimères sans pour autant renoncer à leur façon de voir. Ce changement implique un risque, et la peur du risque empêche les gens de se sortir plus vite de leur marasme.

Façons normales de voir

Il n'existe pas une seule et unique façon positive de se voir et de voir les autres ; cependant, les gens qui ont évolué normalement ont, en commun, les perspectives suivantes :

1- *Je ne serai jamais parfait, mais c'est normal.*
2- *Personne ne me doit rien, et je ne dois rien aux autres, sauf les aimer. En tant qu'êtres humains, notre succès, ou notre échec, dans une situation donnée, dépend principalement de nous, et non d'une autre personne.*
3- *Je ne suis pas tout puissant, mais assez fort pour faire face à la plupart des situations. Et si je manque mon coup, je me reprendrai.*
4- *Je ne peux pas me faire aimer par tout le monde. Tous les êtres humains sont plus ou moins égoïstes. S'ils ne peuvent me donner tout l'amour que je voudrais, ça ne signifie pas que je suis totalement seul.*
5- *Je n'ai pas à être le nombril du monde pour avoir une*

valeur personnelle. Que je fasse mon possible, où et quand il le faut, et je n'aurai pas à rougir de moi !

3 CINQ PROFILS DU TIMIDE

Il y a trois sortes de gens dans le monde : ceux qui veulent, ceux qui ne voudraient pas, ceux qui ne peuvent pas. Les premiers réussissent tout ; les seconds s'opposent à tout ; les derniers ratent tout.

ECLECTIC MAGAZINE

A cause du comportement et de la personnalité de chacun, il n'existe pas deux timides semblables. C'est ce que nous appelons, entre psychologues, « le vaste continuum de la timidité ».

En fait, cette timidité peut se cacher chez des gens qui, pourtant, nous frappent par leur personnalité. Ainsi, l'impétueux avocat Melvin Belli confiait à Charlotte Beyers, du magazine *Parade*, le 18 janvier 1976, qu'il *était devenu flamboyant pour dissimuler sa timidité.*

Un évangéliste avouait à son biographe qu'il se montrait rarement avant ses prédications de peur d'être obligé de se mêler à la foule. Connu pour son éloquence, il se reconnaissait, cependant, trop timide pour entamer un dialogue avec un de ses auditeurs.

Citée dans le *Family Circle* de février 1976, la comédienne Phyllis Diller rappelle que ses professeurs la considéraient comme l'enfant la plus maladivement timide qu'ils aient jamais vue. *J'étais si timide à l'école de danse, que je restais enfermée dans le vestiaire. J'avais tellement peur de faire du bruit, même en jouant au ballon, qu'au lieu de crier, je bafouillais.*

Dans le même numéro du *Family Circle*, Roosevelt Grier, pourtant une montagne d'homme, qui semblait ne devoir craindre personne, avouait que les moqueries, qu'on lui décochait à l'école, au sujet de sa taille, le rendaient complètement muet.

Barbara Walters, animatrice, pendant des années, de l'émission *The Today Show*, avait été dépeinte par un de ses collègues comme une personne « distante... froide... fruste ». Plus tard, cette personnalité populaire expliquait son attitude dans un article de Christina Kirk publié dans le *Washington Star* :

J'ai encore un léger complexe d'infériorité. Avant de paraître en public, je dois m'enfermer dans une pièce et me parler à moi-même... Je suis incapable de prendre des vacances seule, de manger seule dans un restaurant... Je me sens toujours blessée si l'on dit de moi : Elle est agressive. *Si l'on vous dit que je suis la quintessence de la confiance et du contrôle de soi-même, n'en croyez rien !*

On peut diviser l'immense armée des timides en cinq catégories de base : « le timide-dépendant », « le timide-agressif », « le timide-terrifié », « le timide-anxieux », et « le timide-satisfait ». Il n'existe pas de barrières étanches entre ces catégories et, la plupart du temps, le timide se reconnaîtra dans la plupart d'entre elles. Si c'est votre cas, armez-vous de patience, de courage et... au travail !

Le timide-dépendant

La plupart des gens timides se reconnaîtront dans cette catégorie. D'une façon générale, les timides-dépendants sont serviables, coopératifs et aimables. Ils se laissent rarement aller à la colère. Pour en décrire un, on dira de lui : *C'est un bon gars, mais on ne sait pas grand chose de lui.* Les timides-dépendants sont habituellement des gens ternes, qui expriment difficilement leurs opinions, leurs sentiments, ou leur propre façon de voir, avec fermeté ou vigueur.

Les gens de cette catégorie demeurent enfants et sans défense, tandis que les autres sont forts et compétents. Leur passivité et leur faiblesse apparentes ne sont, en fait, que des tactiques inconscientes pour obliger les autres à s'occuper d'eux, à les protéger, à les conseiller et à les réconforter.

Ces gens-là ne se sentent vraiment à l'aise que dans le cadre « mère forte » — « enfant sans défense ». Ce sont souvent de bonnes « mères » pour les jeunes enfants, les handicapés et les animaux blessés. Ils adorent jouer le rôle du bon Samaritain plutôt que celui du déshérité.

Les gens de cette catégorie ne s'éloignent jamais trop de leur refuge de passivité. Ils éviteront de faire preuve d'assurance en exprimant une opinion, en partageant un sentiment, ou en prenant une responsabilité quelconque, pour ne pas perdre leur statut d'enfants sans défense et la protection qu'ils attendent des autres. Leur assurance, ils la vivent dans des rêveries. Extérieurement, ils restent passifs pour s'accrocher à l'espoir qu'un jour leurs rêves se réaliseront.

Bernard était un timide-dépendant classique. Elevé par sa mère, sa grand-mère et une tante, qui rivalisaient d'ardeur maternelle à son égard, il allait développer des tendances extrêmes à la passivité. Bernard voulait que le monde entier le traite comme l'avait fait son trio maternel. Bernard finit pourtant par se marier, mais n'en perdit pas pour autant sa passivité. C'était sa femme qui s'occupait de l'éducation des enfants, dirigeait le foyer et gérait le budget. Même au bureau, il lui fallait un horaire, des ordres précis et il écartait toute initiative. Sa femme attendit que leurs filles aient une dizaine d'années pour perdre patience. Un jour, elle explosa et menaça Bernard de divorcer s'il n'assumait pas rapidement ses rôles d'époux et de père. Rien n'y fit ! Bernard se dit : *Ça va passer* ; et ce fut tout. Il ne voyait pas comment sa timidité pouvait, à ce point, frustrer sa femme. Pour lui, il se comportait vis-à-vis d'elle comme il l'avait toujours fait avec les femmes. Il ne sentait pas qu'il demandait à sa femme d'être sa mère, et non une épouse alors qu'elle voulait qu'il fût mari, mais non un fils.

Sommé de faire preuve d'assurance, Bernard se sentait envahi par un mélange de colère et de dépression. En vérité, il avait peur, en changeant, de perdre son statut d'enfant passif et dépendant. Pour éviter cette sorte de sensation, Bernard choisit donc de rester un gentil garçon, tranquille, sans passion aucune et un peu terne. Tout compte fait, ses patrons n'étaient-ils pas satisfaits de ses services ? Il se sentait heureux dans sa passivité, autant à la maison qu'au travail. Dans son cas, un traitement allait s'avérer inutile. D'ailleurs, Bernard voulait tellement rester tel qu'il était qu'il avouait, lors de sa dernière visite, qu'il n'attendait que le départ de sa femme pour retourner avec... sa mère, sa tante et sa grand-mère.

Un grand nombre de timides sont comme Bernard : Ils ne s'engagent pas. C'est, pour eux, la seule façon de paraître sereins et agréables. Aussitôt qu'on exige d'eux un effort, ils se sentent balayés par un torrent d'anxiété, de peur et de colère. Ils font immédiatement ce qui leur permettra de retourner à leur passivité : ils pleurent, se plaignent d'un malaise quelconque et abandonnent les autres à leurs blagues et à leurs discussions.

Alors que des enfants agressifs retiennent l'attention, le jeune timide-dépendant ne présente que peu de symptômes. Seul un adulte, averti et perspicace, pourra le démasquer. La plupart du temps, on dira simplement de ce soi-disant enfant paisible : *Il reste assis comme cela toute la journée; elle ne montre que très peu ses sentiments ; elle semble si calme ;* ou *c'est un si bon gars.*

Parents et professeurs aiment les enfants calmes, dociles et gentils, mais trop, c'est trop, et cela frise la pathologie. Face à des enfants semblables, les adultes se doivent de les aider à vaincre leur peur d'être eux-mêmes et de les encourager à se mêler à leurs camarades pour avoir l'opportunité de changer leur vision du monde.

Les enfants, qui expriment leurs sentiments de façon parfois violente, attirent l'attention des parents, des autres enfants, des professeurs, des policiers, et même des hommes politiques. Nous avons tendance à croire que les enfants perturbés sont ceux qui parlent fort et qu'ils sont de véritables petites pestes dans leur lutte contre la société : ce n'est pas forcément exact !

Beaucoup d'enfants passifs-dépendants grandissent avec une vision irréelle d'eux-mêmes et du monde. Ils se mêlent rarement aux autres perdant ainsi toute chance de changer leur point de vue. Extrêmement dépendants, ils ne retirent aucune satisfaction de leurs relations avec autrui. Voilà le grand drame que vit l'enfant timide-dépendant.

Georges est un si beau garçon... Il n'a jamais volé, jamais pris de drogue... Combien de fois avons-nous entendu les parents d'un timide-dépendant vanter ainsi leur enfant ! Mais l'absence de délinquance n'est pas un standard adéquat pour apprécier la personnalité d'un enfant. Il n'y a peut-être pas d'immoralité chez un jeune dépendant, mais il n'y a pas non plus de moralité.

Incapable de développer sa force de caractère, l'enfant n'ose pas affirmer ce qu'il pense être son droit et il a même peur de défendre ses propres opinions.

Même s'ils ne choquent pas, les timides-dépendants n'apportent rien à la société et n'éprouvent pas de grandes satisfactions. Ils mènent, au contraire, une vie misérable à cause de leur gêne maladive et de leur vision erronée du monde.

Le timide-agressif

Il peut sembler y avoir une certaine contradiction dans cette expression. En psychologie clinique, on identifie habituellement cette catégorie comme celle des passifs-agressifs. Ces gens-là manipulent les autres, avec une passivité-timide qui vient de leur peur d'être manipulés et, en fin de compte, de n'être pas aimés. Ils savent que leur timidité, dans certains cas, irrite et ils essaient de s'en sortir en criant victoire. C'est comme s'ils se disaient : *J'ai gagné puisque vous n'avez pas réussi à me dominer.*

Leur vie se résume à MOI contre EUX. Ils ont un besoin pressant de se défendre contre l'agression des autres et ils y réussissent au moyen de leur passivité.

Ecoutez ce commentaire candide d'un timide-agressif, alors sous traitement dans une clinique : *Quand mes visiteurs font preuve d'une certaine force, je reste assis devant eux, sans faire attention à ce qu'ils disent ; le visage absolument impassible, je les laisse tempêter et divaguer et, au fin fond de moi-même, je me sens triompher !*

Les timides-agressifs refusent d'avoir besoin des autres, ou de les aimer. Ils auraient l'impression, ce faisant, de s'affaiblir et de se laisser dominer par la personne qu'ils auraient la «faiblesse» d'aimer. Ils préfèrent donc nier ce sentiment. Pour eux, la vie, c'est la lutte pour le pouvoir, une lutte qu'ils doivent gagner. En obligeant les autres à avoir besoin d'eux, mais en se refusant à toute réciprocité, les timides-agressifs croient régner.

Claude, comptable dans un bureau, illustre ce syndrome de façon parfaite ; sans connaître les motifs qui le poussent à agir ainsi, il se plaît à frustrer continuellement sa femme. Dès son retour du travail, il se plonge dans la lecture de son journal et, malgré tous les efforts de celle-ci pour engager le dialogue, il se contente de lui répondre par des grognements. De guerre lasse, Shirley, son épouse, abandonne, quitte la pièce et continue ses corvées.

Et le premier à s'en plaindre, c'est Claude. *J'ai tout essayé prétend-il, mais elle s'enrage et je ne peux discuter avec elle.* De cette façon, il justifie sa passivité en accusant sa femme d'un manque de communication dont il est bel et bien l'unique responsable. C'est sa manière à lui d'éviter de répondre aux sentiments de Shirley. Il se sent supérieur. Que dis-je ? Victorieux ! Persuadé que tout le monde veut le manipuler, il s'est fixé pour objectif primordial d'éviter toute manipulation.

Chaque fois qu'il pense être manipulé, le timide-agressif a l'impression de perdre son identité. A certains moments, il affiche une supériorité prétentieuse. A d'autres, il est d'un calme olympien, ne se prononçant que pour faire bondir son interlocuteur, ou bien alors en évitant soigneusement tout dialogue. Il désamorce toute critique dirigée contre lui, neutralise chaque confrontation. En s'abstenant de toute sentimentalité, il se maintient dans une position de puissance. Ce prototype n'est timide que lorsque ses sentiments sont engagés. Il préfère à l'amour le combat. Exemple parfait de cette timidité agressive : l'adolescent, à qui sa mère demande de sortir les poubelles.

Oui, maman, tout de suite ! répond-il. Deux heures plus tard, rien n'a été fait. Malgré son attitude coopérative, fiston s'est dit, en son for intérieur : *Il n'en est pas question ; cause toujours, tu ne me feras pas plier.*

En clinique, il n'y a qu'une seule façon de fonctionner avec cette sorte d'individu : le plonger dans un climat de sécurité d'où toute forme d'agression, sauf la sienne, est absente. Face au thérapeute, le sujet découvre une personne extrêmement passive, qui lui fait réaliser progressivement qu'il peut, sans la moindre menace d'agression de la part de quiconque, se laisser aller à ses propres sentiments, et même à sa propre agressivité.

Pendant les premiers stades de la thérapie, le patient ne souhaite qu'une chose : voir son thérapeute jouer un rôle actif, afin de pouvoir le contrer. Dès sa tendre enfance, en effet, il s'est habitué à s'affirmer, en provoquant chez les autres l'agressivité, puis en les frustrant par sa passivité. Le passif-agressif ne supportera donc pas de voir le thérapeute encore plus passif que lui. Il lui lancera volontiers au visage : *Vous ne m'aidez pas, je vous paie pour rien ! Je suis venu chercher vos conseils et vous n'avez rien à me dire !*

Le rôle du psychologue, au début du traitement, consiste à aider son patient à prendre conscience de ses sentiments profonds et de leurs causes. Au bout d'un certain temps, le malade s'apercevra que cette attitude de passif-agressif, il l'a délibérément choisie, pendant des années, pour étouffer en lui tout sentiment ; puis il reconnaîtra que sa peur d'être agressé par les autres est non seulement exagérée, mais qu'elle est, en plus, le reflet de sa propre personnalité. *J'ai peur de l'humeur et de l'agressivité des autres parce que je suis moi-même coléreux et agressif.* Cette thérapie donne habituellement de bons résultats et amène assez vite le patient à changer sa façon de voir.

A la fin du traitement, le timide-agressif commence à se rendre compte que tout ce qu'il voulait, dans la vie : «être aimé inconditionnellement», comme s'il était possible de gagner l'amour de quelqu'un sans le mériter. Quand il comprend que c'est à cause de son attitude qu'il s'est bâti un caractère impossible, le sujet change d'attitude : il veut être actif, ne craint plus la compétition, n'a plus peur d'être agressé par les autres et se laisse aller à ses sentiments affectueux.

Le timide-terrifié

Les timides, dont l'univers est le plus perturbé, sont ceux qui vivent dans la terreur constante de leur propre fureur et de celle des autres à leur égard. Retirés presque totalement de la société, ils préfèrent s'enfermer dans leurs rêveries, refusent presque tout contact avec autrui et se recroquevillent dans une sorte de prison physique ou mentale.

Leur vœu le plus cher : être sous la coupe d'un père ou d'une mère parfaits, être dorlotés par eux à jamais. Et comme cette sorte d'absolu ne mène à rien, ils sont sans cesse déçus et constamment en furie. Leur vie devient intenable et ils préfèrent se réfugier dans la solitude.

Dans leur cas, on parle encore de timidité. En fait, ils préfèrent savourer leurs rêves plutôt que de se mêler aux gens qui ne leur apportent pas la tendresse dont ils ont besoin. On les considère souvent comme des excentriques, des êtres étranges, des reclus, quand ils ne sont pas des ermites, au sens propre du mot.

En société, ils sont constamment déçus et se sentent envahis par une rage telle qu'ils ont peur d'exploser. S'ils pouvaient exprimer ce qu'ils ressentent, ils diraient : *Je pourrais tuer tout le monde dans cette pièce !* ou *Je pourrais faire sauter le monde entier !* ou *Si j'avais une arme, j'abattrais tout le monde !* Pour éviter cette sorte d'excès, ils nient simplement cette fureur et battent en retraite.

De temps à autre, ces malades explosent réellement, et leurs « faits d'armes » font les manchettes des journaux. C'est ainsi qu'un jour, on apprend à la une qu'ils ont ouvert le feu sur d'innocentes victimes, qu'ils ont massacré leurs parents, leurs voisins, ou même parfois de parfaits étrangers. Le plus souvent, cependant, ces gens-là sont capables de contrôler leur fureur.

Généralement, le timide-terrifié ne reconnaît pas cette rage intérieure. Et pourtant, les indices sont là :

— effrayé par les autres, le timide-terrifié nie, d'habitude, sa propre fureur, en assumant que ce sont les autres qui sont violents ;

— il rêve de se voir réconforté, soutenu et dorloté ;

— il sent parfois monter en lui une bouffée de violence qui le pousse à se faire du mal, ainsi qu'aux autres ;

— il ne rêve que de solitude et, même en s'y essayant, il est incapable de prêter attention à autrui.

Bob avait déjà 19 ans quand il se mit à rechercher de l'aide pour chasser sa timidité. Ses amis l'excusaient : *Vous connaissez Bob. Il est tellement gêné qu'il ne se mêle jamais à nous. Et même quand il le fait, il reste seul.*

Quand il était avec un groupe, Bob s'installait sur une chaise derrière les autres, plutôt que de se mêler à eux. Les rêves les plus fous le hantaient, comme celui de s'acheter un fusil et de tuer n'importe qui. Son imagination lui faisait peur, tellement qu'il n'avait qu'une hâte : se faire soigner. Aujourd'hui, Bob s'explique sa timidité ; il est capable d'accepter sa fureur et de la contrôler. Il mène une vie sentimentale et sociale active et échappe à ses phantasmes.

Je n'ai plus besoin d'abattre personne, dit-il, après deux ans et demi de traitement. *Ma fureur ne m'a pas quitté, mais je la comprends maintenant. Et comme je connais son origine je peux en réduire les effets sur mes comportements.*

Le 1er août 1966, un certain Charles Joseph Whitman grimpait au sommet de la tour de l'Université du Texas, à Austin, et ouvrait le feu sur les passants. A la fin de cette fusillade, 16 morts et 25 blessés. Whitman avait été chef-scout, pianiste de concert, mari et père de famille modèles. Après la tragédie, des amis se rappelaient l'avoir entendu dire qu'un jour, il escaladerait cette fameuse tour pour tirer sur la foule avec une carabine de chasse. A l'âge de 23 ans, le « penseur » Charlie Whitman, incapable de se contrôler, procédait à un massacre épouvantable, qu'il allait payer de sa propre vie et de celle de sa jolie femme, la première à tomber sous les balles de son arme.

Ailleurs, un jeune homme de 18 ans étranglait une fillette de sept ans, dans une église de New York. Ses amis le connaissaient comme peu émotif ; il projetait de devenir ministre de culte.

A Phoenix, un garçonnet de 11 ans, tranquille et bien élevé, poignarda son frère de 34 coups de couteau.

Les timides-terrifiés ont, la plupart du temps, vécu une jeunesse très perturbée, et il leur faut un traitement sérieux et prolongé pour les débarrasser de leurs phantasmes, de leur peur d'eux-mêmes et des autres.

Le timide-anxieux

Les timides de cette catégorie se reconnaissent à la façon dont ils se tordent les mains. Les timides-anxieux ont du mal à prolonger leurs conversations avec autrui. Ils passent leur temps à voleter d'un sujet à l'autre.

La plupart des bonnes hôtesses sont des femmes de cette catégorie, qui se servent des gens qu'elles reçoivent pour chasser leur solitude et se lancer dans un tourbillon d'activités. L'intimité leur est impossible. Elles paraissent enjouées et extraverties mais, au fond, elles ont peur de s'engager. Leurs relations avec autrui sont superficielles et peu réelles. Quand on leur demande une opinion sur un événement récent, ou sur une situation, elles sont évasives, répondent une frivolité et disparaissent.

Le timide-anxieux mâle a des talents de comédien, de conteur d'histoires. Il adore parfois fanfaronner, porter des vêtements excentriques, arborer des bijoux clinquants, conduire des voitures extravagantes et fumer des cigares.

En psychologie clinique, les timides-anxieux sont considérés comme des hystériques — personnes qui sont effrayées de se voir telles qu'elles sont. Ils ont généralement peur de devenir vraiment hommes ou femmes. Au fond d'eux-mêmes, ils ont toujours rejeté toute forme d'agression masculine, ou féminine, de leur sexualité. Sexualité et agression signifient, pour eux, péché et réprobation des parents. Fixés à jamais à leur puberté, ils ont peur de passer de l'adolescence à l'état adulte et de reconnaître qu'il n'y a rien d'anormal et de malsain dans la sexualité. Ce sont d'éternels collégiens, avec tout ce que cela comporte d'exhibitionnisme, de marottes et d'instabilité émotive. Ces gens-là ont peur des responsabilités et des engagements.

Les timides-anxieux adorent s'imaginer parfaits

parce que, pour eux, il n'y a pas de valeurs sans perfection. Ils sont incapables d'accepter qu'il existe un juste milieu entre «totalement bon» et «totalement mauvais». On pourrait presque leur coller l'étiquette «vaniteux» parce que, parfois, ils se croient parfaits.

Les timides-anxieux débordent d'énergie nerveuse. Ils parlent vite, ont des gestes saccadés, se tortillent et ne savent trop que faire de leurs pieds. Ils ne cessent de chercher une confirmation à leurs rêves de grandeur morale et ils font tout pour nier l'évidence du contraire.

Ils évitent naturellement toute relation trop intime avec les autres de peur qu'on ne leur découvre une imperfection quelconque. *Je suis bon*, répètent-ils, évitant tout risque d'échec. Ils réalisent bien qu'ils sont faibles et imparfaits, mais refusent de l'admettre de peur de détruire leurs illusions.

Doris était une femme charmante, à laquelle une foule d'amis vouait une admiration sans borne. Propriétaire d'une magnifique résidence de banlieue, elle était une hôtesse hors pair, ses enfants réussissaient dans leurs études et sa carrière de vendeuse était un succès. Quand elle se fixait un but et y consacrait toutes ses énergies, il n'était pas question d'échec.

Une fois sa porte fermée, cependant, Doris était tout autre — fatiguée la plupart du temps, solitaire et découragée. Elle n'acceptait que des relations très superficielles avec autrui. Elle refusait toute relation trop intime, de peur de voir tomber son masque et de se laisser aller à des paroles et des actes qui trahiraient ses tendances sexuelles ou agressives refoulées. En parlant avec elle, on avait l'impression d'essayer vainement d'attraper un oiseau. La plupart des gens ne l'auraient certes pas classée dans la catégorie des timides et, pourtant, elle avait peur de se montrer sous son vrai jour dans ses relations avec autrui. Elle avait besoin d'amour et d'attention, mais faisait tout pour les repousser.

Au cours des sessions de thérapie, cette « super-femme » allait laisser échapper un torrent de fureur. Il lui fallut plus d'un an et demi avant de pouvoir mettre le doigt sur ses défauts sans qu'elle en soit déchirée.

Les gens, comme Doris, s'allument une cigarette, mais ne la fument pas. Ils se promènent un verre à la main, pendant une soirée, mais ne le vident pas. Cigarettes et boissons ne leur servent que de barrières. Il en va de même pour le maquillage, et c'est souvent fardée de façon outrancière que les timides-anxieuses s'amènent à leur première séance de traitement. Tout y est : faux-cils, mascara épais et rouge à lèvres agressif. Tout en elles clame : *La vie est belle, mais... surtout n'allez pas arracher mon masque !*

Beaucoup d'Eglises ou d'institutions religieuses entretiennent malheureusement ce type d'anxiété en convainquant les gens qu'ils doivent, à tout prix, atteindre un idéal. Les ministres du culte et les professeurs, qui — sentent le besoin de nier leurs propres imperfections, laissant souvent croire à leurs fidèles ou élèves que leur vie n'est qu'une suite de victoires sur l'anxiété, la dépression et une foule de sentiments négatifs. En s'auréolant d'une perfection toute relative, ils incitent leurs fidèles à adopter le même point de vue, c'est-à-dire à nier leurs imperfections et la réalité de leur personnalité respective.

Nos motifs sont rarement purs. Il s'y mêle presque toujours une certaine quantité d'égoïsme et de narcissisme. En reconnaissant cette vérité, nous éviterons de nous surévaluer, nous accepterons mieux la faiblesse des autres.

Les timides-anxieux doivent se rendre compte que,

même s'ils ne sont pas exceptionnels, ils peuvent plaire aux autres et être aimés pour eux-mêmes.

Le timide-satisfait

Tous les timides ne sont pas dépendants, agressifs, terrifiés ou anxieux. Pour certains, la timidité n'est pas un problème. S'il le faut, ils sont capables d'avoir des relations très normales avec autrui. Ils préfèrent sans doute la solitude, mais leur timidité est très acceptable. Il s'agit des timides-satisfaits.

Le timide-dépendant veut reculer sans cesse le jour où il ne sera plus dorloté.

Le timide-agressif doit manipuler son entourage.

Le timide-terrifié doit cadenasser sa fureur.

Le timide-anxieux garde une attitude distante de peur de perdre son masque d'assurance.

Le timide-satisfait est tout à fait différent. Il fonctionne bien, il est actif avec les autres, sans pour autant se sentir mal à l'aise ni causer de problème à qui que ce soit. Il peut même réussir parfois des exploits dignes des plus grands leaders. Sa timidité ne présente qu'un problème occasionnel et il n'éprouve pas un besoin pressant de changer.

Sommaire

Ainsi, le comportement du timide n'est pas automatiquement pathologique. Il ne l'est que s'il s'accompagne de sensations désagréables, de conflits avec les autres et de souffrances intérieures.

Il n'existe pas de recettes pour transformer les timides qui se classent dans les quatre premières catégories. Les conseils et les programmes simplistes n'ont qu'un effet superficiel sur eux. Il faut que ce soit le sujet lui-même qui veuille changer. La route est longue et pénible qui conduit à la maturité, mais c'est la seule valable.

Nous vivons dans une société pragmatique. Nous réservons nos louanges à l'inventeur ou au pionnier. L'Américain idéal s'est fait lui-même et, malheureusement, en tant que Nords-Américains, nous avons tendance à traiter nos problèmes psychologiques comme nous bâtirions une ferme : acheter, couper et planter ! C'est loin d'être la bonne manière !

En effet, comment espérons-nous trouver la vraie solution à un problème si nous n'avons même pas compris de quel problème il s'agit ? En insistant sur des solutions simples pour régler des problèmes complexes, on risque fort de compliquer le remède. Dès le départ, le timide doit savoir que la route de la guérison est longue et pénible, mais qu'elle aboutit forcément quelque part.

Les chapitres suivants sont là pour vous indiquer la route à suivre.

4 COMMENT AIDER UN ENFANT TIMIDE

Laissez l'enfant se lancer à l'aventure. Ses erreurs valent souvent mieux que l'inaction.

H.W. BEECHER

Le thermomètre baissait rapidement, la nuit tombait et, pourtant, la petite Marcia ne se pressait pas pour entrer chez elle. La fillette avait la chair de poule, mais elle ne la sentait pas tellement elle pensait à son docteur qui, avec sa femme, viendrait l'adopter. *Ils n'ont pas d'enfant*, pensait-elle à voix haute. *Ils vont venir pour m'emmener dans leur grande maison.*

Aucun médecin, cependant, ne l'attendait à la maison. Seul l'ami de sa mère était, comme d'habitude, dans la chambre de cette dernière, à l'étage supérieur. Marcia se dirigea vers la cuisine en se répétant, une fois de plus : *C'est ce soir qu'on va m'adopter. Quelqu'un va m'aimer et j'aurai une jolie maison.*

Elle ouvrit un pot de beurre d'arachides, se fit un sandwich et se cala dans un fauteuil pour grignoter une pomme. Elle entendit sa mère l'appeler pour savoir si elle était rentrée. La porte claqua ; l'ami de sa mère s'en allait ; l'obscurité avait envahi la cuisine où se trouvait Marcia. *Si mon médecin n'arrive pas bientôt pour m'adopter*, pensa-t-elle, *je vais m'endormir !*

Dès sa naissance, la fillette avait été négligée. Enfant illégitime, elle n'avait jamais connu l'influence stabilisatrice d'un père et c'est pour cette raison qu'elle s'était cramponnée au rêve de voir, un jour, quelqu'un lui assurer la sécurité dont elle avait besoin.

A l'âge de 30 ans, Marcia continue de rêver. Même maintenant, elle ne peut s'expliquer pourquoi les autres ne lui ont jamais donné la chaleur d'un foyer. Le monde cruel de son enfance a fait d'elle une timide-terrifiée qui, très tôt, a appris à se réfugier dans un univers imaginaire.

En public, la jeune femme fait de son mieux pour paraître charmante et chaleureuse. Une heure plus tard, cependant, elle sent monter en elle la colère qu'elle a connue pendant son enfance et elle rêve de tuer tout le monde. Elle essaie alors de se réfugier dans son monde de rêveries. *Marcia, es-tu avec nous ?* lui demandent ses amis, ou *Marcia, tu sembles t'ennuyer. Mais non, ça va !* répond-elle, mais elle se sent bouillir de rage. Finalement, elle doit quitter le groupe de peur de voir tout son univers de respectabilité s'écrouler dans une mare de violence. Elle trouve un prétexte pour se réfugier dans sa solitude et dans un monde insaisissable où un père et une mère la cajolent inlassablement.

Marcia est devenue timide à cause de la solitude et des frustrations maternelles et à cause, aussi, de l'univers qu'elle s'est créé, pendant son enfance. D'autres enfants, dans les mêmes circonstances, auraient pu réagir autrement, mais il est clair que chez Marcia, la timidité a pris racine dans les privations affectives de son enfance. Et que dire des timides qui se plaisent à blesser les autres et qui, pourtant, ont été élevés dans des familles heureuses ?

La timidité par hérédité

On ne comprend pas encore très bien les mécanismes de l'hérédité, mais il semble probable que des facteurs génétiques prédisposent certaines personnes à la timidité. Deux enfants, élevés dans des environnements identiques, peuvent présenter des symptômes différents de timidité, à cause de leurs dispositions héréditaires.

Les enfants jouent un grand rôle, à la fois sur leur environnement et sur leur propre développement. Un nouveau-né qui, par hérédité, est actif et curieux, obtiendra de son environnement des réponses plus positives qu'un enfant génétiquement plus passif. Un enfant qui, à cause de son hérédité, est plus sensible qu'un autre à des situations émotionnelles, vit dans un monde différent de celui d'un enfant dont les glandes sont plus paresseuses.

Nous avons encore une connaissance trop superficielle des influences génétiques sur le comportement pour certifier que ce comportement est causé par l'hérédité ou par l'environnement. Il ne fait aucun doute, cependant, que les gènes jouent un rôle dans la timidité, même si l'environnement, a, lui aussi, une grande influence sur le développement de cette timidité. A l'intérieur des paramètres établis par les facteurs génétiques, les enfants deviendront plus ou moins timides selon leurs relations avec les autres, et plus particulièrement avec leurs parents.

Jetons maintenant un coup d'œil sur la façon dont les parents peuvent contribuer à la timidité de leurs enfants.

Les parents timides

Les parents timides ont souvent des enfants timides ; ce qui ne signifie pas qu'on devient timide par mimétisme ou par hérédité. Rien n'est jamais aussi simple et bien des facteurs vont entrer en ligne de compte pour aboutir à ce résultat. Le premier, c'est le sentiment d'angoisse qu'éprouvent certains parents face à l'expression d'émotion. Quand un enfant exprime une émotion quelconque — la colère, par exemple — des parents timides se sentent menacés et ne peuvent tolérer d'extérioriser leurs propres émotions. Des parents timides qui veulent rester passifs de peur de se montrer actifs, deviennent anxieux. C'est ainsi qu'au lieu de se pencher sur le problème de leurs enfants, ils feront tout pour dissimuler leurs propres émotions.

Se sentant rejetés par leurs parents, quand ils expriment leurs émotions, les enfants de parents timides apprendront vite qu'une émotion est suspecte et qu'en s'y abandonnant, ils sont mauvais et détestables. Pour éviter ensuite d'étaler leur méchanceté, ils se replient sur eux-mêmes, ou ne se lanceront que dans de futiles conversations, et développeront un comportement de timide.

Des parents timides étouffent continuellement les sentiments de leurs enfants. Ils préfèrent se réfugier passivement dans leurs propres pensées plutôt que de vivre activement avec leurs enfants. Résultat : un minimum de conversation et des enfants qui apprennent vite qu'il n'y a que la tranquillité pour vivre de façon convenable.

Un père souffrant de timidité se demandera souvent pourquoi ses enfants ne semblent pas à l'aise en sa présence. Il ira même jusqu'à penser qu'ils ne l'aiment pas, et en sera blessé. Il ne comprendra pas que sa propre anxiété ait creusé un fossé entre lui et les siens. Un père comme celui-là, même s'il aime vraiment ses enfants, est incapable de surmonter sa peur d'être actif.

Les familles dont le père est timide passent la plupart de leurs soirées à ne rien faire, à ne rien dire, chacun des membres qui les composent recherche désespérément attention, amour et chaleur, mais est trop anxieux pour risquer le moindre geste qui lui permettrait de sortir de son monde d'isolement.

Les parents négligents

Même au sein de foyers normaux, des millions d'enfants n'ont personne qui fasse attention à leurs besoins, leurs craintes et leurs désirs. Dans beaucoup de familles, on ne manque de rien, du moins en apparence, parce qu'en réalité, l'essentiel manque : une communion étroite entre tous les membres.

Un enfant qui vit dans un foyer où l'on craint toute forme d'intimité n'a presque rien à envier à un orphelin. Il grandira en pensant qu'il est seul au monde et que personne ne se soucie de ses besoins. Personne ne lui apprend, dès sa prime enfance, à communiquer avec autrui. Toute sa vie, il diminuera et refusera toute conversation improvisée avec les autres.

Abandonnée par sa mère alors qu'elle n'avait pas encore six mois, Betty devait passer toute sa jeunesse d'un foyer nourricier à l'autre. A huit ans, elle échouait finalement dans une famille qui allait tout faire pour elle, mais elle ne croyait déjà plus en personne.

Elle est maintenant mariée et son mari se plaint qu'elle ne le croit pas quand il lui affirme son amour. Bien au contraire : elle semble effrayée par toutes les attentions qu'il lui manifeste. Inconsciemment, elle croit qu'en l'aimant elle risque de le lasser et de se voir très vite abandonnée par lui.

Chaque fois qu'il s'approche d'elle, elle recule et adopte une attitude froide, distante, sinon carrément hostile. Négligée alors qu'elle était bébé, Betty est presque incapable de contact avec autrui, sauf sur le plan professionnel.

Les parents, absorbés par une carrière exigeante, contribuent souvent, sans s'en rendre compte, à la timidité de leur progéniture. Si papa ou maman n'accordent aucune attention aux châteaux de sable, aux tracteurs, aux poupées et aux papillons de leur enfant, ce dernier se convaincra que ses idées, ses intérêts et ses émotions n'ont aucune valeur et qu'il y a, dans la vie, des choses plus importantes que ses besoins. Conséquence ultime : il n'accordera que peu de valeur à sa personne et aux autres.

Les parents étouffants

Autre type assez fréquent de parents qui favorisent la timidité de leur progéniture : les pères et mères qui « étouffent » leurs enfants. C'est particulièrement courant chez les mères qui couvent littéralement leurs enfants et qui misent sur les succès de ces derniers pour se sentir heureuses. Elle s'engagent de façon exagérée dans la vie de leurs enfants, utilisant même les moyens les plus subtils pour les empêcher d'acquérir indépendance et maturité. Chaque fois que son enfant semble vouloir s'éloigner d'elle, la mère poule essaie de le culpabiliser en parlant d'abandon.

Les enfants élevés dans une ambiance pareille risquent fort d'étouffer en eux tout désir d'indépendance et d'affirmation d'eux-mêmes. Ils grandiront en se voyant essentiellement comme le prolongement de la personnalité de leurs parents et non comme des individus distincts et autonomes.

Les parents trop sévères

La sévérité des parents peut jouer un grand rôle sur la timidité de leurs enfants. Pour certains d'entre eux, l'éducation des enfants, c'est la lutte pour le pouvoir. En clinique, ces parents se plaignent que leurs enfants ne cessent de vouloir affirmer leur indépendance, ou qu'ils font preuve d'un entêtement qui doit être cassé.

Au cours de leur traitement, ces parents finissent par reconnaître que ce sont eux qui souffrent d'un sentiment de faiblesse et d'impuissance, et qu'ils se sentent tout le temps menacés. Ils voient leurs enfants comme des ennemis puissants à mater sans faute.

Les enfants de parents sévères voient, en leur père, un monstre terrifiant qu'il ne faut surtout pas provoquer. Les garçons ont du mal à s'identifier à lui ; ils préfèrent s'accrocher à leur mère et ils ont du mal à acquérir une force de caractère normale. Etre agressif signifierait se battre avec le père et perdre la sécurité qu'offre la mère ; ils choisissent de réprimer leur propre agressivité.

L'enfant, qui ne trouve que peu de chaleur chez son père et sa mère, s'en détachera pour se créer des parents imaginaires, qu'il pourra rejoindre au moindre moment d'anxiété. Ces enfants ne seront capables d'aucun sentiment profond, même si, en surface, ils paraissent attirants et agréables.

Il suffit, pour des parents trop sévères, qu'ils reconnaissent leurs craintes et leur « goût du pouvoir » pour qu'ils commencent à se détendre. L'enfant, à son tour, n'aura plus peur d'exprimer ses sentiments — agressivité ou tendresse — et sa timidité diminuera.

Parents et adolescents

Quand on leur demande quelles sont les années de leur vie qu'ils ont trouvées les plus dures, les adultes répondent généralement : de 12 à 14 ans. Pour un enfant timide, ce sont des années de misère totale. L'adolescent essaie d'échapper à la domination de ses parents et c'est chez ses amis qu'il va chercher la sécurité et l'appui qu'il trouvait dans sa famille, avant de vouloir en sortir. Plus ses parents sont difficiles d'accès, plus le jeune se rapprochera de ses camarades.

Pour éviter la sensation de dépression et d'anxiété que provoque cette rupture d'avec son foyer, l'adolescent se lancera dans des activités de toutes sortes, comme l'athlétisme, la délinquance, les études intensives et les parties, parfois accompagnées d'alcool et de drogue. C'est sa façon à lui d'échapper aux sensations désagréables qui accompagnent cette période d'identification et d'indépendance.

Les parents, qui ne réussissent pas à comprendre ce qu'est cette période pour leurs enfants, perdent tout contrôle et toute influence. Ils voient dans leurs progénitures des criminels ou des délinquants et croient avoir failli à leur tâche de parents. Résultat : ils rejettent leurs adolescents et certains vont même jusqu'à les traîner devant les tribunaux.

Nous nous sommes souvent trouvés en présence de foyers où un fossé infranchissable semblait s'être creusé entre parents et adolescents. Il suffisait, pour les parents, de s'apercevoir que ce besoin de leurs enfants de s'identifier et de se libérer n'était que temporaire, pour qu'aussitôt un pont enjambe ce fossé. Il n'y a rien de tel que la compréhension pour calmer les esprits.

Boutons, cicatrices, imperfections vraies ou imaginaires de la nature constituent autant de facteurs qui peuvent encore augmenter la timidité d'un adolescent gêné. A cette période de sa vie, la blague d'un copain aura plus d'effet sur lui qu'un long sermon de son père, et sa mère ne devra pas s'étonner si elle le voit se coiffer pour plaire à une fille alors que, depuis cinq ans, il refusait de toucher à un peigne.

Le comportement antisocial d'un adolescent constitue souvent une forme de compensation aux problèmes que lui cause sa timidité. C'est pour cette raison que l'enfant modèle de l'école élémentaire se transformera, souvent, en jeune délinquant, vandale ou voyou. C'est sa façon à lui de lutter contre un sentiment profond d'imperfection. La délinquance, chez un adolescent, c'est une façon de proclamer : *Je suis quelqu'un, je n'ai pas besoin de vous, je n'ai pas besoin de la société. Je peux me débrouiller seul et si vous me critiquez ou essayez de m'arrêter, vous êtes mon ennemi.*

Derrière ces bravades se cachent souvent des adolescents qui se battent pour atteindre l'idéal qu'ils se sont fixé, mais qui ont peur. Ils s'accrochent à n'importe quel groupe qui semble leur garantir un statut social et, bien souvent, ce groupe est composé d'individus unis par la même hostilité à l'égard de leurs parents.

Moyens pour diminuer la timidité chez l'enfant

Le seul fait d'être parent aide la plupart des gens à mûrir ; d'autres se contentent de vieillir. Tout dépend de leur façon de voir.

Certains parents sont convaincus qu'ils sont condamnés à demeurer tels qu'ils sont pour le reste de leur vie. S'ils demeurent fixés à cette opinion, c'est, en effet, ce qui va se passer. D'autres voient, dans la vie, une occasion de développement et d'enrichissement, à cause, et peut-être même, de tout ce qu'il peut y avoir de défis et de sources d'anxiété dans une existence. Là aussi, c'est ce qui va se passer.

S'ils ont besoin de se sentir essentiellement parfaits, s'ils ne peuvent tolérer aucune faiblesse ni immaturité en eux-mêmes, ces parents-là n'évolueront pas. Ils auront plutôt tendance à être sévères, étroits d'esprit et égocentriques. De tels parents essaient de convaincre leurs enfants que le destin les a faits ce qu'ils sont et qu'il n'y a rien à y faire. Les parents qui ont choisi d'évoluer, par contre, n'auront pas peur de s'analyser ni de changer. Leurs enfants remarqueront ces changements et sauront qu'il est non seulement possible de changer, mais que c'est faisable et même souhaitable. L'impact des parents sur leurs enfants, s'il n'est pas infini, est cependant incroyablement puissant.

Suggestions aux parents

Pour aider les parents d'enfants timides et tous ceux qui travaillent auprès des jeunes, nous avons résumé les propositions suivantes :

1- Se connaître soi-même. Essayez de découvrir, de façon réaliste, la façon dont vous vous voyez, vous et les autres. Cette vision, que vous avez de vous-même, est-elle fixe comme un vieux cliché, ou mouvante comme la vie elle-même ?

2- Si vous vivez avec votre femme, communiquez honnêtement, ouvertement, continuellement avec elle.

Faites-lui sentir que vous la comprenez. Le principe fondamental des communications, entre mari et femme, se résume en deux phrases :

Nous écoutons pour comprendre l'autre.

Nous parlons pour nous comprendre nous-mêmes.

Trop souvent, nous n'avons pour but, en écoutant notre conjoint, ou en lui parlant, que de le changer. Trop souvent, nous pensons que c'est de l'autre que dépendent notre joie et notre bonheur, et que c'est en le manipulant et en le changeant que nous atteindrons la félicité. Cette attitude conduit inévitablement à la destruction du mariage et est particulièrement néfaste aux enfants.

Les parents célibataires, ou ceux dont le conjoint n'a pas la maturité suffisante pour établir un dialogue, doivent trouver un ami sûr avec qui il sera possible de discuter, sans pour autant perdre de leur indépendance et de leur objectivité.

3- Portez attention aux souhaits, aux sentiments et aux désirs de vos enfants. L'enfant a besoin de sentir qu'il est important. Il a besoin de quelqu'un qui tient compte de ses idées, de ses sentiments et de la façon dont il les exprime. Il n'est pas question, ici, naturellement, de céder à tous ses caprices, ni à toutes ses craintes, mais de le comprendre. C'est en se voyant écouté par ses parents, quand il parle de ses genoux écorchés et de son tricycle, que l'enfant apprend qu'il a de la valeur et qu'il peut, en toute confiance, discuter avec autrui.

4- Ne pas être avare de compliments. Un compliment honnête aide, à la fois, enfants et adultes. Quand nous le mentionnons à certains parents, leur première réponse est : *Nous ne voulons pas voir notre enfant devenir vaniteux en le complimentant sur ses gestes ou sur son apparence.*

Et pourtant, en fait, les compliments donnent exactement le résultat contraire. La vanité et l'égocentrisme se développent chez des gens qui se sentent faibles, inférieurs et peu sûrs d'eux. Les gens qu'on ne complimente jamais, ou qu'on insulte fréquemment, se créent un rêve de grandeur qui n'a rien à voir avec leur personnalité réelle. Les personnes que l'on complimente de façon raisonnable se feront, au contraire, une image plus réaliste d'elles-mêmes.

On ne complimente jamais trop une personne, à moins que ce ne soit dans le but égoïste de la manipuler. Si nous complimentons pour être payés en retour, ou pour faire de l'autre personne notre obligée, alors nous pouvons parler de compliments nocifs. Mais un compliment sincère ne peut qu'aider nos enfants, notre conjoint et nos semblables.

5- Développez cette idée que les sentiments ne sont, en soi, ni bons ni mauvais. Joie, plaisir, colère, chagrin, dépression et anxiété n'ont aucune valeur morale. La Bible ne les a d'ailleurs jamais condamnés. Car si ces rêves et les comportements destructifs sont sévèrement jugés, les sentiments, eux, ne le sont pas.

Chaque sentiment, qui peut conduire au mal, peut également conduire au bien. La colère peut tuer, mais, bien canalisée, elle peut aussi être constructive — que ce soit dans les études, la littérature ou l'enseignement. La peur, qui souvent paralyse, peut aussi aider l'inventeur à sauver des vies et à rendre le monde plus vivable.

Les parents qui convainquent leurs enfants qu'il est bon d'avoir des sentiments les aident à avoir confiance en eux. C'est sur cette base que l'enfant édifiera son respect et son amour pour les autres, parce qu'il se respectera lui-même.

6- Consacrez régulièrement du temps à discuter avec vos enfants. A ce sujet, ce n'est pas la quantité qui compte, mais la qualité. Une demi-heure de conversation agréable, au moment du repas, a beaucoup plus d'effet positif que deux heures de disputes et de chamaillages. Pour ce faire, les parents ne doivent pas hésiter à sacrifier quelques-unes de leurs distractions. Dans une famille, le silence chronique est le pire ennemi de l'harmonie.

Je me souviens d'un père qui m'avait amené, une fois, sa fille pour se plaindre qu'elle ne l'écoutait pas, lui manquait de respect et s'adonnait à la drogue. *Elle est en train de se détruire*, concluait-il, debout dans mon bureau.

La jeune fille de 17 ans, assise très calme devant moi, avait un sourire sarcastique. Quand enfin elle put ouvrir la bouche, elle lança à son père, en mesurant bien ses mots : *Mais, papa, ça fait un an que j'essaie de te dire que j'ai arrêté la drogue. Un de mes meilleurs amis en est mort et, depuis, je n'en prends plus.*

Plus encore, sa fille lui annonça qu'elle faisait maintenant partie d'un mouvement anti-drogue, et qu'à cause de cette initiative, ses collègues la tenaient pour une «straight». Il en était ainsi depuis des mois, mais jusqu'à cette visite, elle n'avait jamais pu s'asseoir avec son père et lui parler de sa nouvelle vie.

Les enfants sont capables, eux aussi, de faire face aux problèmes courants. Si le papa a perdu son travail, se sent déprimé ou en colère, ses enfants peuvent très bien le comprendre. Ils sont habituellement plus réalistes et plus optimistes que l'adulte.

7- N'insistez pas sur la timidité de votre enfant. La plupart des parents veulent savoir s'ils doivent aborder ce sujet : le mieux est de laisser l'enfant en parler de lui-même. Un mot, de temps en temps, pour faire savoir au jeune qu'on est conscient de son problème, mais aucune conversation élaborée là-dessus, à moins que ce ne soit l'enfant lui-même qui aborde le sujet.

8- Voyez l'enfant dans sa totalité. On a trop souvent tendance à ne voir en lui que ses défauts, à les isoler ; on en oublie qu'il a aussi des qualités et qu'elles sont nombreuses.

Il est réconfortant, pour l'enfant, de savoir que ce qu'il dit, à un moment donné, ne représente pas la totalité de ce qu'il pense et ressent, et que ce ne sera pas retenu contre lui. Les enfants peuvent faire, parfois, des déclarations extravagantes ; les parents ne devraient pas y accorder plus d'importance qu'il ne faut. Très souvent, un enfant va dire quelque chose qu'il ne pense pas réellement. Il peut tout simplement avancer de nouvelles idées et tester ainsi l'amour de ses parents. Votre enfant est encore très loin de l'adulte qu'il va devenir. Les jeunes, particulièrement les adolescents, sont radicaux dans leurs pensées et leurs sentiments, mais la grande majorité des enfants reviennent, tôt ou tard, aux normes qu'ils ont connues auprès de leurs parents.

9- Laissez savoir à votre enfant que tous ses amis sont bienvenus à la maison. Si vous êtes là, accueillez-les avec bonne humeur. Une porte ouverte aide un jeune timide à reprendre confiance en lui et encourage ses camarades à l'entourer. Approvisionnez-les en sandwiches et laissez ensuite la bande à son intimité et à sa musique.

10- Partagez avec vos enfants le bon vieux temps quand vous étiez vous-même timide. Les jeunes ont une façon un peu mythique de voir le monde des adultes. Pour eux, c'est un univers de réalisation et de contrôle absolu. Quand ils comprennent que leurs parents, aussi, ont lutté et luttent encore contre des sentiments d'impuissance, de passivité et de timidité, ils reprennent courage.

11- Affichez une attitude saine envers la sexualité. Les relations avec le sexe opposé sont critiques, spécialement pendant l'adolescence. La façon dont un enfant apprend à envisager la sexualité peut avoir une très grande influence sur sa vie future.

5 CELIBATAIRE ET TIMIDE

Elle était timide et je la pensais froide.
ALFRED TENNYSON

Plusieurs raisons expliquent le célibat ; la mort d'un conjoint, le divorce, l'amour de la liberté, la consécration à une cause ou à une carrière, la peur maladive de l'intimité, les fausses idées qu'on se fait du sexe opposé, ou encore un manque d'attirance physique ou psychologique. La vie d'un célibataire n'est ni un désastre ni une tragédie. Beaucoup de personnes seules, au contraire, vivent une vie bien remplie, riche, exaltante et peuvent connaître des amitiés profondes et enrichissantes. D'une façon générale, un mari heureux ferait, ou fera, un célibataire tout aussi heureux.

Certains célibataires, cependant, le sont à cause de leur timidité face au sexe opposé. La plupart d'entre eux se sentent frustrés et anxieux. Ils voient la vie sous un jour désespéré et désespérant. Le prochain chapitre sera consacré aux célibataires qui veulent améliorer leurs relations avec le sexe opposé.

Vexé par le sexe opposé

D'une façon inévitable, les gens particulièrement timides à l'égard des personnes de l'autre sexe, les considèrent comme toutes puissantes, désirables et nécessaires, mais se sentent rejetés par elles. Pour entretenir des relations saines, il faut savoir donner et recevoir. Dans un couple normal, chacun des conjoints essaie de satisfaire les besoins de son partenaire. Le célibataire timide, lui, n'est pas capable de tolérer un tel arrangement. Dans son subconscient, il exige de son partenaire qu'il satisfasse à tous ses besoins, mais il est incapable, lui, de lui rendre la pareille. Le célibataire timide ne transige avec le sexe opposé que sur une base restreinte et limitée. La moindre velléité d'indépendance, ou d'affirmation, de la part de son conjoint éventuel lui fait peur et le fait fuir. Quant à son partenaire, il va se sentir vite étouffé, emprisonné et limité.

Richard était l'image parfaite de la virilité. On aurait pu le choisir pour jouer le rôle du Prince Charmant. Toujours courtois et attentionné, il traitait toutes les femmes comme des poupées de Chine.

Il ne pouvait, cependant, rien décider par lui-même et laissait sa petite amie faire le choix de toutes leurs sorties. Sous des allures viriles, c'était un faible, que son ombre même pouvait effrayer; la jeune femme s'en aperçut rapidement et mit fin à leur romance.

Que se cachait-il sous cette noble courtoisie? Richard avait grandi en projetant, sur toutes les femmes, l'image de sa mère, l'image de la perfection. Pour se cacher cette vérité, il lui fallait nier toutes les évidences du contraire. Mais pourquoi voulait-il, à tout prix, garder de sa mère une image sans faille? Richard était, en fait, persuadé qu'il ne pouvait se mettre en colère contre sa mère sans dès lors se rendre indigne de son amour ; ainsi pour éviter toute attitude agressive à son égard, préférait-il jouer les perfections.

Quand Richard était enfant et qu'il se laissait aller à un accès de fureur, sa mère, ou bien l'ignorait, ou bien le désapprouvait avec force. Elle était, elle-même, une femme au caractère extrême, qui ne contrôlait pas très bien ses émotions. L'enfant avait appris très vite que toute velléité d'indépendance de sa part déclenchait, chez sa mère, une attitude de rejet.

Richard a maintenant réussi à dominer la plupart de ses craintes et de ses phantasmes ; il réalise qu'il peut faire preuve d'une certaine agressivité sans pour autant perdre l'amour d'une femme. Il a cessé d'être un petit garçon qui voit dans chaque femme la projection de sa mère. En changeant sa façon de voir, Richard est maintenant capable d'entretenir avec le sexe opposé des relations détendues et naturelles ; il s'est débarrassé de ses anciennes inhibitions et, probablement, d'une partie de lui-même... la partie infantile.

Humaniser Mme Super-Femme

Sherry était une infirmière diplômée, charmante, bien élevée, compétente, un peu froide ; elle ne voyait qu'un point noir dans son existence : elle était célibataire et voulait un mari.

Il doit y avoir quelque chose qui ne va pas en moi, concluait-elle, *sinon je serais mariée.* Cette plainte reflète bien le cliché que projette notre société du célibataire. Quelque chose comme : « être seul, c'est être inférieur ». Les formulaires de banque, les demandes de prêts, les panneaux d'affichage, bref, un nombre incroyable de choses rappellent constamment au célibataire (homme ou femme) qu'il est un citoyen de deuxième classe. La société évolue sans doute, mais il reste encore bien du chemin à parcourir.

Sherry s'était déjà fiancée, mais elle avait rompu, sous prétexte que son fiancé ne voulait pas l'accompagner à l'étranger, alors qu'elle y avait trouvé une situation intéressante. Sherry devait, cependant, découvrir plus tard que la cause véritable de cette rupture, c'était la peur de sa propre faiblesse et de sa dépendance.

Si c'est avec le plus grand calme qu'elle se tient près d'un chirurgien, devant la table d'opération, sur laquelle un malheureux lutte désespérément contre la mort, c'est également avec la même assurance qu'elle se plonge dans les bouquins spécialisés les plus arides, ou qu'elle participe à des réunions mondaines où elle est la reine.

Mais... faites appel à ses sentiments, et vous touchez là une corde sensible ! Elle se raidit et cherche immédiatement à fuir. Elle rejette systématiquement tout ce qui est tendresse, amour ou affection. Une personne normale sait être impassible quand sa profession l'exige, et sentimentale en temps opportun, mais Sherry, non !

Elevée au sein d'une famille nombreuse, Sherry avait été entourée de frères et de sœurs, dont toujours on lui avait vanté les qualités. Il ne lui restait donc plus, pour se faire valoir — du moins le pensait-elle — qu'à compléter des études extrêmement brillantes. Première de classe, elle allait très rapidement s'imposer à toutes ses compagnes de classe par sa logique irréfutable et sa vivacité d'esprit, mais ne se laissait que très rarement aller à ses sentiments. Ses succès lui valaient les louanges de tout le monde, particulièrement de ses parents, et elle en était venue à la conclusion que ses prouesses intellectuelles en feraient, sinon une personne aimée, du moins une personne admirée.

En surface, Sherry était calme et raisonnable. Au plus profond d'elle-même, cependant, sans qu'elle en prenne vraiment conscience, bouillonnaient frustration, colère et confusion. Et ce n'est que vers 35 ans qu'elle allait enfin comprendre son problème. Elle sait, maintenant, après un long traitement, qu'elle est capable de sentiments et qu'elle a besoin d'être aimée et dorlotée. Maintenant seulement, elle s'abandonne dans les bras d'un homme et réalise que, pour être entière, une personne doit aussi être capable de tendresse. Tournant résolument le dos aux années de privations qu'elle s'était imposées, elle vit une vie beaucoup plus enrichissante et humaine.

Le choix plutôt que l'abandon

S'il est bien un sentiment que le timide connaît bien, c'est celui de la fureur. Louis allait en souffrir exagérément par suite de sa peur des femmes.

Au fin fond de lui-même, Louis n'éprouvait qu'un seul vrai besoin, celui de se trouver une femme. Pour lui, les femmes avaient une telle importance que, dès le premier contact, il essayait d'emprisonner littéralement celle qui lui plaisait. Résultat : celle-ci, afin de ne pas étouffer, rompait au plus tôt.

Après cette rupture, Louis plongeait infailliblement dans une rage et un désespoir tellement profonds qu'il en développait des tendances suicidaires. *Comment a-t-elle pu me faire cela ?* ne cessait-il de répéter. *Le monde entier n'est que trahison et je le hais.*

Alors qu'il n'avait que quelques années, Louis avait été abandonné par sa mère et confié à plusieurs foyers nourriciers. Plus tard, adolescent ou adulte, il s'était vu rejeter par plusieurs femmes. Cela signifiait-il qu'il n'avait aucune valeur ? Que non ! Mais, d'une façon générale, Louis jetait son dévolu sur des femmes aux prises avec des problèmes financiers. Tant que leurs ennuis n'étaient pas réglés, elles supportaient son caractère possessif, puis elles le quittaient.

Le traitement que Louis allait suivre devait lui faire admettre quelques réalités : d'abord, ce n'est pas l'humanité tout entière qui le rejetait, mais une seule femme à la fois ; ensuite, il n'était pas une fragile et innocente victime secouée par ses émotions, mais tout simplement un être humain qui, comme tout le monde, peut perdre auprès du sexe opposé.

On ne peut plaire à tout le monde et à son père. Pour certains, nous sommes merveilleux ; pour d'autres, nous ne valons rien. C'est tout à fait normal ! Mais pour Louis, rien n'allait plus et il en ressentait une terrible sensation d'impuissance qui l'avait tant torturé naguère. Aujourd'hui il est capable de dire : *Je ne dépends de personne, ni homme, ni femme. Si quelqu'un me rejette, dix autres sont là pour m'accepter. C'est à moi de faire mon choix et il faudra sans doute qu'il soit meilleur la prochaine fois.*

Un professeur peut en apprendre

Personne n'aurait pu se douter que la douce Lucie, une jeune enseignante de 24 ans, emprisonnée dans sa timidité, était en fait un volcan de haine. Les rares fois où elle ouvrait la bouche, c'était pour s'excuser, ou pour murmurer : *Je vous demande pardon, je ne comprends pas...*

Au sein d'un groupe, elle ne prenait aucune part active. Elle soupçonnait ses amis de la trouver ennuyante et sans intérêt et... elle était d'accord avec eux.

Dans sa jeunesse, Lucie avait appris que ses sœurs ne l'acceptaient avec elles que dans la mesure où elle ne disait rien. Il lui suffisait d'ouvrir la bouche pour se retrouver seule. Il en était de même pour son père, un homme très froid et distant, qui ne l'acceptait que si elle n'exprimait rien.

Malgré toute la rage qui pouvait l'habiter, Lucie avait donc appris à se taire. Sa devise était : *Si tu veux être acceptée par un groupe, ne dis rien ; si tu ne veux repousser personne, ne dis rien ; si tu veux vivre dans une atmosphère de sécurité et de douceur, ne dis rien !*

La façade que Lucie s'était fabriquée allait, toutefois, s'effriter au cours d'une assemblée de professeurs de sa faculté. Il fallait se prononcer sur une résolution qui semblait se rallier autant d'adversaires que de partisans. Finalement, on décida de tenir un vote ; c'est alors que Lucie se sentit envahie par une véritable panique à l'idée d'appuyer un groupe au détriment de l'autre. Elle préféra s'abstenir de lever la main pour donner un vote dans un sens plutôt que dans l'autre, histoire de ne pas perdre l'amitié de quiconque.

C'est pour la même raison que durant de simples conversations, la jeune femme se concentrait tellement sur ses réponses qu'elle n'écoutait pas ce qu'on lui disait. Elle finissait par en paraître idiote. Au fond d'elle-même, une imagination très active ; en surface, une apparente stupidité !

Lucie finit par prendre conscience qu'elle n'était pas la victime de son entourage, mais de son attitude à son endroit.

Une histoire de vote comme celle vécue par Lucie ne présenterait pas un gros intérêt pour le lecteur d'un roman ; dans la vie réelle, cependant, ça peut être le début d'une bataille, d'un traitement qui donnerait des résultats incroyables. Dans leur prime jeunesse, certains timides ont choisi la passivité comme arme contre leur environnement. Qu'au cours du traitement, on les amène à être actifs, alors les années de frustration et de rage feront peu à peu place à une vie de bonheur et de réalisations.

La pathologie du perfectionnisme

David, un étudiant d'une vingtaine d'années, a peur des femmes. Il s'agit, pour lui, d'une menace constante contre laquelle il doit protéger son propre corps.

Extérieurement, le jeune homme s'est composé un personnage. Bien coiffé et habillé de façon impeccable, il projette l'image d'une véritable carte de mode. Tout ce qu'il porte est « parfait ».

Pour ses professeurs, quel étudiant idéal, mais son conseiller psychologique sait, lui, combien il est perturbé, même qu'il ne serait pas autrement surpris d'apprendre, un jour, qu'il a été arrêté pour s'être attaqué à un enfant.

Poussé, peut-être, par sa haine pour tout ce qui touche la femme, David a choisi la prêtrise, bien décidé à condamner, dans ses sermons, ce qu'il appelle déjà la perfidie féminine. Malheureusement, le séminaire qui l'accepta ne soupçonnait pas qu'il avait affaire à un psychopathe, lequel risquait, un jour ou l'autre, de couvrir de honte l'Eglise tout entière.

Brian n'est pas comme David ; il n'a pas peur des femmes. Ce qui le frustre, cependant, c'est qu'il ne réussit pas à les impressionner. Haltérophile, il s'est développé une musculature très respectable et, de visage, il n'est pas laid. Mais, malgré tous ces atouts, les femmes qu'il réussit à attirer le quittent très rapidement.

Brian était le fils unique d'une femme très forte et extrêmement possessive qui, d'une façon aussi ferme que gentille, étouffait en lui tout désir d'indépendance. Pour être aimé de sa mère, l'enfant apprit donc très jeune qu'il lui fallait être obéissant, doux et gentil. Bientôt, il ne fut capable de fermeté que lorsqu'il était en colère, ce qui se terminait à tout coup par une reddition complète de sa part. A toutes les femmes, il apparaissait, dès sa majorité, comme « Monsieur pâte-molle ».

La gente féminine continue d'intimider Brian, mais, jour après jour, voilà qu'il apprend à s'affirmer. Le temps n'est pas loin où il sera un homme équilibré, qui saura faire place à ses sentiments, comme à l'affirmation de sa propre personnalité.

Comment choisir un conjoint

Les gens astucieux savent profiter de leurs fréquentations pour discerner la véritable personnalité de leur conjoint éventuel. Si vous envisagez sérieusement le mariage, donnez-vous la peine d'étudier les parents de votre partenaire. Jusqu'à un certain point, un homme ou une femme deviendront les reflets de leur père ou mère. Si vos beaux-parents éventuels considèrent comme normal ce que vous détestez du fond du cœur, attention, c'est un avertissement ! Rappelez vous ceci : que vous le vouliez ou non, vous épousez la famille !

N'hésitez pas non plus à prêter oreille aux conseils de vos amis. Ils ont souvent sur vous l'avantage d'être totalement impartiaux et de voir des indices que vous ne remarquez pas, ou sur lesquels vous fermez volontairement les yeux.

Au moment de se séparer d'un mari excessivement timide, Jeanne devait déclarer à son psychologue : *Ce n'est pas l'homme que j'ai épousé. Plus même, j'en arrive à penser que je ne l'ai jamais aimé, mais que j'espérais bien le voir, après notre mariage, se débarrasser d'une timidité qui l'empêche de jouer le rôle de chef qui lui revient.*

Elle ne réalisait pas qu'en fait, ce qu'elle aimait n'était qu'une image de son mari, et non ce qu'il était véritablement.

Le tout se termina, naturellement, par un divorce, et la seule question que le psychologue put se poser, à la fin du traitement, fut : *Pourquoi, diable, ces deux-là, se sont-ils mariés ?*

Il est malheureusement vrai qu'à une époque où tout semble se décider de façon raisonnée et scientifique, — même la sélection d'un personnel, — deux jeunes gens uniront encore leur existence sur un simple coup de foudre. Il est certain que l'attraction sexuelle et la beauté physique ont un rôle à jouer dans le choix d'un conjoint. L'homme et la femme sont ce qu'ils sont ; mais ces deux facteurs ne suffisent pas pour établir une base solide à un mariage.

Avant le « oui » décisif, les jeunes fiancés devraient se demander : *Pourrai-je vivre 50 ans avec cette personne-là si elle reste exactement ce qu'elle est maintenant ?* Si la réponse est : *Non* ou *Peut-être*, attention !

Pour les célibataires, nous suggérons que le choix du partenaire soit basé autant sur la raison que sur la passion. Pour les gens mariés, nous rappelons que la maturité, chez chaque individu, jouera naturellement dans la vie conjugale.

Sommaire

La timidité, en présence du sexe opposé, peut donner lieu à de graves frustrations et à une solitude extrêmement pénible. Chaque timide est unique en son genre et, pourtant, tous les gens qui souffrent de ce handicap présentent des tendances qui leur sont communes. La timidité (ou passivité) peut être causée par une peur certaine des relations intimes. Intimité signifie besoins,

besoins signifie, jusqu'à un certain point, faiblesse. Certaines personnes ne peuvent accepter pareille faiblesse chez elles. D'autres, au contraire, placeront les représentants du sexe opposé sur un piédestal et entretiendront avec eux des relations esclave-maître.

Certains célibataires sont timides par peur de leur propre caractère agressif. Ils ont appris, par le passé, que leur agressivité était cause de rupture entre eux et leurs parents. Pour ne pas revivre cette expérience, ils préfèrent jouer le rôle d'enfants sages, quelles que soient leurs frustrations.

Suggestions

1- Se mêler aux gens des deux sexes, même si c'est difficile. Commencer par des activités et des réunions qui n'engagent à rien. Eviter, au début, une trop grande intimité avec quiconque, surtout pendant une longue période. Par la suite, au fur et à mesure que le traitement avancera, allonger ces périodes d'intimité.

2- Etudier les réponses données à l'auto-analyse du début du livre. Les réviser objectivement et répondre aux questions suivantes :

— De quelle façon la personne qui a écrit ces réponses perçoit-elle le sexe opposé ?

— De quelle façon cette personne-là se perçoit-elle elle-même ?

— En formulant ces réponses, jusqu'à quel point recherchait-elle l'approbation de son père ou de sa mère ?

3- Demander aux gens qui nous connaissent le mieux de nous décrire tels qu'ils nous voient, de façon franche et réaliste. Répéter souvent cette opération.

4- Se mêler le plus souvent possible à des activités de groupes. En se forçant à être actif, le timide combat, de la meilleure façon qui soit, cette passivité qui le torture depuis des années.

6 MARIE ET TIMIDE

Ce n'est pas le mariage qui échoue, ce sont les conjoints. Le mariage n'est que le reflet des gens qui l'ont contracté.

HARRY EMERSON FOSDICK

Le mariage n'est pas une photographie, c'est une peinture. Regardez l'artiste-peintre promener son pinceau sur la toile blanche. Une première tache de couleur orange au centre de la toile, puis une autre, verte, à l'extrême-droite... Ce n'est pas possible, il s'amuse ! Et que vient faire maintenant cette sorte d'ovale noir à l'avant-plan ? Quelques minutes plus tard, cependant, après une série de coups de pinceau habiles, le paysage commence à prendre forme. La tache orange devient un arbre en automne, le vert, des collines, à l'arrière-plan, et l'ovale sombre se transforme en un magnifique étang dans lequel on a l'impression de se refléter. Après un début pour le moins décevant, le paysage est maintenant d'une beauté à vous couper le souffle.

Un mariage, c'est comme ça. Beaucoup de jeunes s'imaginent que c'est un instantané, alors que c'est une peinture qu'il faut constamment fignoler. Ils conçoivent la cérémonie du mariage comme la finalisation de leur développement personnel, alors que ce n'en est que le début. *Pour le meilleur ou pour le pire*, se disent-ils, *j'espère que nous sommes faits l'un pour l'autre*. Ils voient le mariage comme un jeu de casse-tête, composé de deux morceaux. Ils s'emboîtent ou ne s'emboîtent pas.

La réalité est tout autre. Compatibilité ou incompatibilité sont des mythes. Le mariage n'est pas un casse-tête dont les deux morceaux sont immuables. Il serait plus juste de le comparer à un jeu d'échecs où chaque adversaire change sans cesse de stratégie, rivalise d'originalité et refuse opiniâtrement de se laisser emprisonner. Dans un mariage, les partenaires compatibles sont ceux qui exigent de se développer à titre «d'individu à part entière»; les partenaires incompatibles sont ceux qui se refusent cela. Tacitement ou ouvertement, ils adoptent l'attitude suivante: *Moi, je ne changerai certainement pas. Si tu es malheureux, c'est toi qui changeras, ou bien tu partiras.*

Il arrivera parfois que, pour sauver son mariage, un des partenaires essaiera de devenir ce que l'autre veut. Ce n'est pas la solution; tôt ou tard, l'amertume surgira et il perdra tout respect de lui-même.

Enfin le mariage se détruira, d'abord psychologiquement, puis légalement.

Les relations entre deux personnes varient d'une situation à l'autre. Elles ne seront pas les mêmes au lit ou à table. Les relations qu'on peut avoir pendant une dispute ne sont pas les mêmes que celles qu'on a quand on fait des projets pour l'avenir.

Les gens mariés ne sont pas toujours conscients de ces changements constants. Ils rêvent d'une lune de miel qui durera toute la vie. Et pourtant, mari et femme sont des individus extrêmement complexes. Le désaccord, tout autant que le sexe, fait partie du mariage. Le développement de sa propre créativité fait partie du mariage, tout autant que l'amour et le respect mutuels. Le mariage recèle souvent autant de colère que d'admiration. Le mariage, en fait, est une peinture qui n'est jamais terminée et dont l'huile n'est jamais tout à fait séchée.

Etre humain, c'est pouvoir changer sa propre personnalité. Certains changements sont radicaux et, la plupart du temps, se produisent quand les conjoints sont dans la trentaine. En vieillissant, nous changeons notre façon de voir les autres et de nous voir nous-mêmes. Il est impossible que les relations qui unissent deux personnes, le jour de leur mariage, ne changent pas au fil des années.

Un jeune couple devait s'en apercevoir presque trop tard. Passionné de philosophie, François passait des heures à lire les philosophes, de Socrate à Sartre. Le monde des idées le passionnait. Il ne tolérait que difficilement les gens au sens trop pratique. Il fréquentait une certaine Julie, qui semblait apprécier ses idées philosophiques et admirait son intelligence. De son côté, il aimait bien être admiré.

Le philosophe et son admiratrice finirent par se marier et, comme on ne peut pas vivre de philosophie, d'amour et d'eau fraîche, François se dénicha une place de professeur. A cet endroit, cependant, personne ne semblait manifester, à l'égard de sa philosophie, le même enthousiasme que sa femme et, même elle, de temps en temps, se sentait attirée par des sujets plus terre-à-terre.

Le mariage est une lutte qui ne se fait pas qu'avec des mots. Le mariage signifie aussi corps à corps, au sens propre du mot et, dans ce genre de confrontation, François n'était pas aussi fort que dans celle des idées. Il se sentait frustré et confus, autant chez lui qu'à l'école. On était donc loin du bonheur sans nuage qui avait précédé le mariage.

François se réfugiait de plus en plus dans ses livres de philosophie, tandis que Julie consacrait toutes ses énergies à ses enfants, à son ménage et à son cercle d'amies.

Il n'y avait ni lutte, ni conflit, ni intimité, ni chaleur humaine entre ces deux êtres. Perdu dans la lecture, François ne pouvait donner à sa femme l'amour qu'il exigeait d'elle, et elle, de son côté, avait l'impression de vivre aux côtés d'un parfait étranger. L'étincelle était éteinte, la lune de miel terminée, et tous les rêves de félicité évanouis. Il ne restait plus qu'un désespoir sans limite.

Par bonheur, la barrière que François avait érigée entre lui et les autres devait finalement s'effondrer ; alors seulement il ressentit qu'il avait autant besoin de tendresse, d'amour et d'intimité que de stimulation intellectuelle et d'admiration, et sa vie changea du tout au tout. Julie, qui, depuis des années, attendait ce changement, cessa d'idéaliser son mari pour ne plus voir en lui qu'un homme comme les autres. En outre, à la surprise même de François, l'amour que lui témoignait Julie augmenta quand il lui avoua l'angoisse qui le hantait depuis si longtemps et qu'il camouflait sous un masque d'intellectuel chevronné.

Il changea, elle changea. Pendant des années, ils s'étaient éloignés l'un de l'autre et s'étaient retrouvés frustrés et exaspérés. Suite au changement d'attitude de son mari, Julie apprit à se voir d'une façon plus réaliste, à voir mari, voisins et voisines tels qu'ils étaient réellement. Quant à François, il s'accepta enfin comme il était, c'est-à-dire à la fois fort et faible.

Leur union, maintenant, est merveilleuse. Tout en se

développant chacun de leur côté, ils partagent des buts communs. Ils ont vieilli et sont plus heureux.

L'amour, une fin en soi

Le mot « aimer » a, en français, de nombreuses significations. En fait, il s'agit là d'un des mots les plus galvaudés du monde ; il peut signifier tantôt « relations profondes pouvant unir deux êtres », ou « simple partie de plaisir entre deux étrangers ». Et pourtant, nous n'avons pas encore trouvé le mot juste pour en parler vraiment. Qu'est-ce qu'aimer ? C'est désirer de tout son être l'épanouissement et le bonheur de la personne aimée. Dans le mariage, c'est faire tout son possible pour que l'autre soit heureux. Mais, quoi qu'il en soit, pour qu'un amour soit durable, il faudrait toujours une bonne dose de bon sens, d'intelligence et d'humilité.

Dans la plupart des circonstances, nous ne pouvons savoir ce qui convient le mieux à l'autre personne. Nous voulons la protéger de toute souffrance et, pourtant, nous savons que parfois, la douleur est un aspect nécessaire de la croissance. Aussi surprenant que cela puisse paraître, aimer véritablement quelquefois, c'est laisser l'être aimé vivre sa douleur lui-même. L'amour n'est pas possession, bien au contraire, mais respect inconditionnel de la liberté de l'autre. L'amour est un engagement à respecter les promesses échangées au moment du mariage. C'est aussi l'engagement d'aider son conjoint à retirer de la vie le plus grand bonheur possible.

Le contraire de l'amour n'est pas la haine, mais le narcissisme. Le narcissiste n'aime que lui, ne recherche que son propre bonheur. S'il veut que son conjoint change, c'est pour en tirer lui-même satisfaction ; s'il veut des enfants bien élevés, c'est pour avoir la paix. Le narcissiste ne pense qu'à lui dans le mariage et dans la vie en général.

Les jeunes enfants sont extrêmement narcissistes. Jusqu'à l'âge de cinq ou six ans, ils sont absolument incapables d'évaluer à leur propre valeur les gens qui les entourent. C'est ainsi que les tout jeunes enfants n'apprécieront leurs parents que pour ce que ces derniers feront pour eux. Très peu d'enfants acceptent que leurs parents aient des difficultés et qu'ils puissent les négliger, eux, pour y apporter solutions au plus vite. Quand un enfant a faim, c'est tout de suite qu'il veut manger, quelle que soit l'occupation de sa mère à ce moment-là.

Un signe très sûr de maturité, c'est la disparition du narcissisme inhérent à l'enfance, mais anormal chez un adulte. Si je suis incapable d'aimer quelqu'un, le problème, n'est pas l'autre, mais mon propre narcissisme. Voilà une vérité parfois difficile à avaler. Si je n'aime pas mon conjoint, ce serait plutôt mon problème que le sien. Il n'existe pas, en fait, de conjoint parfait, sans le moindre égoïsme, ou autres défauts. Donc, si je n'aime pas le mien, à cause de ses imperfections, c'est que je n'aime que la perfection, et ça, c'est tout un problème.

D'une façon générale, quand des gens mariés vont consulter un conseiller, ils le font avec l'idée que leur mariage sera sauvé, si l'autre accepte de changer. Avec une attitude pareille, aucun traitement ne peut réussir. Combien de psychologues, de psychiatres et de conseillers matrimoniaux ont mis un terme soudain à un traitement parce que leurs clients refusaient d'admettre qu'ils étaient au premier chef responsables de leurs malheurs ! A moins qu'un individu n'ait la ferme intention d'être honnête face à lui-même, son mariage a peu de chances d'être réussi.

La gentillesse, la base même de l'amour.

La plus sûre façon d'amener son conjoint à la maturité, c'est de l'accepter comme il est.

La plupart des gens s'imaginent, à tort, que c'est en rappelant sans cesse à son conjoint ses faiblesses qu'il voudra s'améliorer et qu'il prendra sur-le-champ des moyens pour y arriver. C'est exactement le contraire qui se produit.

Une personne qui se sent aimée, telle qu'elle est, ressentira un grand sentiment de sécurité. Elle comprendra que si on l'aime et l'estime toujours, en dépit de ses déficiences, elle le sera davantage en s'améliorant. Quand on est aimé, on peut changer. Mais dans le cas contraire, on résistera à tout changement pour éviter une détérioration encore plus grave des relations existantes. Enfants et conjoints, qui se sentent mal aimés et délaissés, préféreront maintenir le statu quo, si mauvais soit-il, plutôt que de risquer une rupture totale.

N'oubliez pas ceci : si vous êtes incapable d'accepter un travers chez votre conjoint, vous avez un problème. Si votre conjoint souffre de timidité et que cela vous ennuie, interrogez-vous sincèrement : *Pourquoi cette timidité m'ennuie-t-elle ?* Si, par ailleurs, c'est vous qui êtes timide et votre conjoint extraverti, et si la vitalité débordante vous agace, demandez-vous encore pourquoi. Dressez dans une colonne la liste de tous les défauts de votre conjoint. Dans la colonne voisine, notez la façon selon laquelle vous voudriez qu'il se comporte. Notez ce qui serait votre idéal à vous. Puis, sur chacun de ces points, posez-vous les questions suivantes : *Pourquoi souhaiterais-je voir mon conjoint agir de cette façon* « idéale » ? *Qu'est-ce que j'y gagnerais ? Est-ce faire preuve de narcissisme que de souhaiter un tel changement d'attitude chez lui ? Pourquoi ai-je besoin de condamner cette façon d'être de l'autre, alors que je suis moi-même loin d'être parfait ?*

Une fois que vous aurez admis que le fait de ne pas supporter l'attitude de votre conjoint constitue un problème pour vous, et non pour lui, discutez-en avec lui, non pour le changer, mais pour lui faire savoir que vous l'acceptez comme il est. Votre conjoint ne vous en aimera que davantage et, pour vous faire plaisir, il décidera sans doute d'améliorer ses points faibles qui vous tracassent.

Les effets de la timidité sur les conjoints

La timidité peut se manifester différemment entre deux conjoints. Le fait de se lancer dans une foule d'activités, pour fuir tout dialogue, est un indice de timidité. C'est souvent à cause d'elle qu'un individu se plonge dans la lecture, le bricolage, les travaux à temps partiel ou le jardinage, et cela plutôt que de s'engager dans une conversation sérieuse avec le partenaire de sa vie. En pareil cas, les communications, entre conjoints sont quasi inexistantes et la timidité devient un problème épineux qu'il est urgent de régler.

La timidité, dans les relations sexuelles, constitue la pierre d'achoppement pour des centaines de milliers de couples. Pour tant de personnes, en effet, le sexe signifie ennui, frustration, douleur ou embarras. Combien aimeraient, sans aucun doute, faire part de leurs désirs et de leurs envies à leur partenaire, mais elles sont trop timides pour le faire. L'attitude d'une personne, face aux questions sexuelles, constitue un baromètre qui permet de juger, de façon assez exacte, la qualité des autres aspects d'une union entre deux êtres. Il n'existe pas, à proprement parler, de problème uniquement sexuel. Il existe plutôt des problèmes de personnalité qui se manifestent au moment des relations sexuelles. Pour les besoins de la cause, étudions donc néanmoins le sexe comme s'il s'agissait d'un élément isolé.

Au fait, qu'est-ce que le sexe ? Chez l'être humain, la sexualité est extrêmement complexe. Il y a là sans aucun doute, un besoin strictement biologique, mais il y a aussi beaucoup plus. Il y a aussi satisfaction d'une foule de rêves, et de désirs... intimité... concupiscence... agression... antagonisme... passion... retour à une attitude enfantine... désir de possession... détente... expression d'amour... besoin de procréer et d'avoir des enfants, qui nous prolongeront et seront pour nous source de joie et de bonheur. Selon le moment, le sexe peut être tout cela, ou n'être rien du tout non plus. Tout dépend de l'instant présent, de l'endroit et de l'âge.

Le sexe à son meilleur

Chaque expérience reflète la personnalité des partenaires et toutes diffèrent les unes des autres. Pour les besoins de notre exposé, cependant, nous étudierons la sexualité idéale, tout en demeurant très conscients qu'il peut arriver que des expériences soient moins satisfaisantes que d'autres.

Idéalement, une expérience sexuelle est extrêmement agréable pour les deux partenaires. Pour chacun d'entre eux, c'est une véritable partie de plaisir qui leur permet de satisfaire leurs désirs, du moins jusqu'aux limites fixées par leur partenaire respectif. Même les religions les plus sévères permettent tout, dans le mariage, mais à la condition que personne ne soit blessé, ni physiquement ni psychologiquement. Une fois cette liberté admise, la spontanéité fait le reste. Vous ne formez qu'un avec votre conjoint. Existe-t-il, sur cette terre, une union qui puisse être plus intime ?

Une relation sexuelle peut se préparer un jour ou deux à l'avance. Le fait d'anticiper des sensations érotiques ajoute au plaisir à en retirer. En laissant leur imagination vagabonder sur leurs ébats à venir, un mari et une femme ajoutent à leur plaisir pendant des heures. Des relations sexuelles satisfaisantes doivent se préparer.

Chaque couple est différent. Certains se préparent en se détendant dans un bain, d'autres en utilisant un parfum qui plaira à leur partenaire. La chambre à coucher doit être propre, fraîche et bien dégagée. Surtout n'hésitez pas à dire à votre conjoint ce qui vous plairait. Faites preuve également de fantaisie. Ainsi, les gens mariés qui connaissent une vie sexuelle active, à 70 ou même 80 ans, sont ceux qui n'ont pas hésité à faire preuve d'imagination dans leurs relations avec leur conjoint. Les couples qui, au contraire, se contentent de relations hâtives auront tôt fait de se désintéresser du sexe.

Une bonne expérience sexuelle, entre deux conjoints, devrait durer d'une demi-heure à une heure ou deux. Ce n'est pas pour rien que, depuis des siècles, on parle de l'art de faire l'amour. Même la Bible considérait les poèmes, la danse, les bains de lait, les caresses et les histoires érotiques comme des préludes normaux à l'acte sexuel.

Pour le couple imaginatif, et sans inhibition, l'acte sexuel est un des moments les plus importants et les plus agréables de la vie et les deux conjoints l'anticipent avec impatience. Pour le couple qui a atteint sa maturité c'est le moment de bonheur unique où l'homme et la femme (le plus souvent séparés) se sentent le plus unis l'un à l'autre.

Il s'agit là naturellement d'un idéal. Les réalités de la vie conjugale et la plupart des expériences sexuelles sont souvent loin d'être aussi enthousiasmantes. Pour le timide sexuel, la félicité décrite dans les poèmes et les chansons n'existe que dans l'imagination de leurs auteurs. Pour les femmes sexuellement timides, la relation sexuelle peut être ennuyeuse et douloureuse. Elle a peur de l'agressivité de son partenaire, peur de ne pouvoir contrôler la passion de ce dernier et peur aussi de ne pouvoir contrôler la sienne propre. Elle ne peut se détendre, ni mentalement ni physiquement, et l'étroitesse de l'ouverture de son vagin lui cause des souffrances intolérables. Dans son esprit, les relations sexuelles ne sont qu'un moyen pour l'homme de se satisfaire et elle s'en passerait volontiers. Que devient, dans ce contexte, le mari ? Devant les inhibitions de sa femme, il a l'impression d'être castré, de perdre toute virilité ; il finit par considérer les relations avec sa femme comme une forme de masturbation. Beaucoup de couples gaspillent ainsi des années de bonheur, sans même pouvoir envisager une amélioration quelconque de leur vie sexuelle.

Le mari sexuellement timide ne connaît guère un sort beaucoup plus enviable. Selon les confidences de certaines femmes à leur psychiatre, il leur fallait presque violer leur mari pour attirer son attention. L'homme affligé par ce handicap a peur de sa propre agressivité, peur de quitter le nid douillet de son enfance pour pénétrer dans celui de l'adolescence, avec tout ce qu'il comporte d'agressivité sexuelle, d'exhibitionnisme et de rivalité. Il reste ainsi tout à fait impuissant et ressemble à un eunuque. Et cette vie peut se prolonger des années.

Un mari a vécu ainsi sept ans auprès de sa femme sans déceler chez elle, au moins une fois, la moindre expression de désir sexuel. Elle craignait d'être agressive, particulièrement au cours de l'acte sexuel. Ce qui devait arriver arriva : son mari devint la proie facile d'une femme avec qui il eut une brève aventure dans une chambre de motel. Quelques jours plus tard, il avouait son « erreur » à sa femme, qui s'éloigna encore davantage de lui. Cette femme, à la fois passive-agressive et timide-dépendante, avait appris de ses parents qu'une femme n'avait pas le droit de jouir sans commettre un péché grave !

En fait, un homme appréciera chez sa femme sa passion et ses initiatives amoureuses en autant que cette dernière accepte ses avances. Les gens trop timides pour manifester un intérêt quelconque aux questions sexuelles ne peuvent que décevoir leur partenaire.

La timidité sexuelle est un problème majeur. Habituellement, cependant, ce type de timidité devrait être automatiquement soigné au cours du traitement destiné à aider le patient à comprendre et à surmonter sa timidité en général. Il est inacceptable qu'un mari et sa femme ne retirent pas le maximum de plaisir de leur vie conjugale. Si aucun effort n'est fait de part et d'autre, leur vie ne sera que rancœur et frustration.

La timidité, cause de nymphomanie

Changer sans cesse de partenaire et de lit est un indice de timidité. Le Don Juan type a, au plus profond de lui-même, peur de se connaître, ou de se faire connaître des autres. Il sépare délibérément amour et sexualité parce que l'amour lui fait peur.

Très souvent, l'individu de ce genre — homme ou femme — déteste cordialement le sexe opposé et il ne voit, dans l'acte sexuel, qu'un moyen de se venger d'un affront subi durant l'enfance. En changeant souvent de partenaire, la femme cherchera à placer le mâle dans une position de faiblesse et d'infériorité, qui lui donnera, à elle, une impression de supériorité. L'homme, de son côté, est effrayé par la suprématie que la femme peut exercer sur lui. C'est pour cette raison qu'au lieu de rivaliser d'intelligence avec elle, il préférera utiliser le sexe et la force physique pour la dominer. C'est la réaction d'un enfant, qui a peur d'entrer dans le monde de l'adolescence.

Divorcé et timide

Des conjoints, qui se sont séparés, ne peuvent s'empêcher de se poser la question suivante : *Quelle est ma part de responsabilité dans notre divorce et quelle est celle de l'autre ?* Beaucoup ont tendance à rejeter sur leur partenaire la responsabilité totale de cette séparation pour ne pas s'avouer leur échec. Dans la plupart des cas, il est impossible de mettre le doigt sur les causes exactes d'un divorce. Rien n'est jamais simple dans un mariage, chaque partenaire s'y engageant avec sa personnalité tout entière, ses vœux, ses espoirs et ses peurs. Il est habituellement inutile et impossible de trouver la cause exacte d'une séparation : le passé est mort. Il vaut mieux encourager le divorcé à vivre pour le présent et à préparer l'avenir.

Le sauvetage d'un mariage

On pourrait prévoir presque tous les divorces. Pour tous les conjoints profondément divisés, ou même en instance de divorce, il y a toujours espoir d'améliorer leurs relations mutuelles. Si la timidité est à l'origine de leur mésentente, il devient possible d'améliorer leur situation en s'attaquant à ce handicap.

La plupart du temps, il n'y a, au début, qu'un seul des partenaires qui consente à changer pour améliorer l'atmosphère conjugale. Son exemple, toutefois, entraîne souvent l'autre conjoint à adopter la même attitude constructive. En fait, il faut que, dans le couple, un des partenaires soit assez courageux pour se dire : *Je sais que mon conjoint n'est pas parfait et je n'y peux rien. Ce que j'ai de mieux à faire, c'est de m'améliorer le plus possible et si ça sauve notre mariage, eh bien, tant mieux !*

En améliorant leur vie conjugale, les deux partenaires s'amélioreront individuellement.

Le plaisir d'être réceptif

On ne peut résoudre, à l'aide de simples réponses, tous les problèmes découlant de la timidité. Cependant, rien ne donnera plus de force aux liens du mariage que l'ouverture d'esprit des deux conjoints. Grâce à cette ouverture, ils sont capables d'exprimer leurs sentiments et ils ne s'en connaissent mutuellement que mieux.

En fait, il ne faut jamais se lasser de communiquer. La personnalité d'un être humain est si vaste et complexe, si variée et exaltante qu'une vie entière ne suffit pas pour l'explorer. A tout âge, 20, 30, 40, 50 ou 60 ans, on a toujours quelque chose à découvrir chez notre conjoint et à lui faire découvrir chez nous.

Les deux conjoints doivent être ouverts à toute discussion. La personne qui dit : *J'aimerais te parler de moi, mais je n'ai rien à te dire* pense, au fond d'elle-même : *Je ne veux pas te parler de moi.* En fait, on a toujours quelque chose à dire sur soi-même.

En s'ouvrant l'un à l'autre, deux conjoints apprennent lentement à se considérer comme des êtres humains complets et libres.

Sommaire

La timidité sexuelle dans le mariage constitue « le problème » pour des millions de personnes ; un problème qui n'est pas sans solution. Le sexe n'est qu'une partie de notre personnalité tout entière; chaque fois que cette personnalité s'améliorera, il en ira de même pour les relations sexuelles.

7 QUAND LA TIMIDITE EST UN ATOUT

Si vous êtes timide, vous êtes en bonne compagnie.

LES AUTEURS

Chaque aspect de la personnalité d'un individu peut être, à la fois, un handicap et un atout. La timidité ne fait pas exception à la règle. La timidité, tout comme la hardiesse, la beauté, la laideur, la force, la faiblesse, n'est ni bonne ni mauvaise en soi. La plupart du temps, ces caractéristiques comportent des valeurs à la fois positives et négatives.

La plupart des gens préféreraient être beaux qu'être laids, mais même la beauté peut être un handicap. Une étoile du cinéma bien connue a déjà écrit un article intitulé : « Au diable la beauté ». Dans ce papier, l'acteur en question se plaignait de la difficulté d'être admis par les autres quand on est trop beau. Pour lui, beauté était le plus souvent synonyme de solitude.

Un jeune célibataire, extrêmement timide, avait découvert qu'il excellait comme athlète. *C'est, pour moi,* avouait Bernard, *la seule façon d'avoir des relations avec les autres hommes. J'ai quitté deux emplois pour pouvoir continuer à jouer au basket-ball.*

Et aussi surprenant que cela puisse paraître, il avait eu raison de préférer le sport au travail. Il avait davantage besoin de communications avec autrui que d'argent. Quand il jouait au milieu de ses coéquipiers, Bernard se sentait libéré et il pouvait, de la façon la plus légitime qui soit, décharger toute son agressivité. Plus son jeu s'améliorait, mieux il se sentait dans sa peau.

C'est en grande partie à cause de sa timidité que le Premier ministre de Grande-Bretagne, Winston Churchill, devint un des plus célèbres orateurs du XXe siècle. Comme il avait beaucoup de mal à s'exprimer en public, il consacra toutes ses énergies à développer les talents oratoires qu'exigeait son poste de chef d'État. Qui ne se souvient encore maintenant de ses fameux discours, ces discours qui, pendant la Deuxième Guerre mondiale, galvanisèrent toute une nation.

Qui ne se souvient pas particulièrement de cette allocution de six mots, qu'il adressa à des étudiants pendant cette période sombre : *N'abandonnez jamais ! Jamais... jamais... jamais !*

Et de cette façon, aussi concise que magnifique, par laquelle il salua les jeunes pilotes britanniques morts pendant la bataille de Londres : *Rarement autant de gens ont dû autant de choses à un aussi petit nombre d'hommes.*

Vivant à peu près à la même époque, mais aux États-Unis, le président Franklin D. Roosevelt avait, lui aussi, du mal à dialoguer avec autrui. Pour surmonter ce handicap, il se força à devenir un grand orateur, et son éloquence aida son pays à se sortir de la Grande Dépression des années 30.

Le cercle vicieux ou bénéfique de la timidité

Le cercle vicieux de la timidité est bien connu. Les timides se présentent en société avec la peur de faire ou de dire quelque chose de mal. À cause de cette crainte, ils manquent de confiance en eux, n'osent pas s'affirmer et attachent trop d'importance à leurs comportements et à leurs paroles.

Et précisément à cause de cette attitude, leurs appréhensions se réalisent. Ils ne paraissent pas sûrs d'eux-mêmes, leurs interlocuteurs n'attachent aucune valeur à leurs déclarations, ils se mettent les pieds dans les plats. Ils se concentrent tellement sur eux-mêmes et sur la façon dont ils vont établir le contact avec les autres que ces derniers ont la désagréable sensation de parler à des murs et préfèrent éviter leur compagnie.

Devant un tel résultat (qu'il appréhendait, d'ailleurs, dès le départ), le timide s'enfermera de plus en plus dans un silence désespéré. *Ça prouve que je n'ai pas une grande valeur*, se dira-t-il. *Les gens ne m'écoutent même pas.* Ce cercle vicieux ne pourra que renforcer sa timidité.

Il existe, toutefois, un autre cercle qui, loin d'être vicieux, ne peut qu'être bénéfique à beaucoup de timides. Beaucoup d'entre eux, en effet, se sont imposés auprès de leurs semblables en luttant contre leur handicap. Alors qu'ils ne se risquaient qu'avec difficulté à entamer la moindre conversation, ils sont devenus des athlètes, des artistes, ou des orateurs connus à travers le monde.

En déployant leurs activités, dans un domaine ou dans un autre, les timides commencent à se faire une idée différente d'eux-mêmes. La réaction positive des gens qui les entourent les confirme dans le sentiment qu'ils ont leur propre valeur, alors ils cherchent moins à attirer l'attention.

Un timide, qui s'intéresse à autre chose qu'à sa propre personne, deviendra un interlocuteur beaucoup plus recherché. En essayant de corriger son handicap, il aura développé et enrichi sa propre personnalité.

Le côté valable

La timidité ne présente pas que des caractéristiques mauvaises. Les timides agrémentent notre société de leur gentillesse. Ils ne veulent blesser personne et, ainsi, contribuent à l'harmonie qui peut régner entre les gens d'un même groupe. Les facteurs qui nous amènent à être timides nous poussent également à nous soucier de l'image que nous nous faisons de nous-mêmes, et que nous projetons sur les autres. Sans ce souci, notre société ne serait que chaos. Nous adoptons des normes acceptables de comportement qui font de nous des gens sociables. C'est ainsi que, même sans établir des relations intimes, nous disons aux gens que nous rencontrons : *Allô ! Comment allez-vous ?* ou tout simplement *Bonjour !*

Le degré et la sorte de timidité que nous éprouvons peuvent avoir une grande influence sur la carrière que nous choisirons. C'est ainsi que beaucoup de timides se sentiront attirés par la comptabilité, l'électronique, le génie, la recherche en laboratoire, le théâtre ou les sciences. Ce sont toutes des carrières où les communications directes, et sans structures établies avec autrui, sont réduites au minimum. Il n'y aura que des timides pour pouvoir aussi facilement supporter les périodes de concentration et d'isolement que ces métiers exigent.

La timidité constitue un avantage dans un nombre incroyable de métiers comme :

La consultation — Les gens timides sont souvent d'excellents auditeurs. A cause de leur passivité, ils n'interrompent pas la personne qui parle et prennent tout leur temps avant de formuler leur opinion. Dotés d'une nature sensible, ils comprendront les sentiments des autres et feront preuve d'intuition. Un conseiller, assis dans son bureau à la journée longue pour écouter les autres, doit aimer ce qu'il fait. Une personne, socialement très active, peut avoir du mal à tolérer une telle passivité, alors qu'un timide s'y sentira très à l'aise.

Il faut, toutefois, se méfier de l'excès dans la timidité, parce que cet excès peut amener le conseiller à être trop passif dans ses avis. Là encore, le juste milieu est de rigueur.

Les arts — La plupart des artistes, que ce soit dans le théâtre, la peinture, la musique, ou la sculpture, éprouvent plus de satisfaction à se concentrer sur leurs œuvres qu'à discuter avec autrui. Pour eux, une conversation ne peut-être que très limitée. C'est dans leur art respectif, au-delà des mots, qu'ils expriment le mieux leur créativité. Beaucoup de gens ont plus de facilité à communiquer par l'écrit, ou par le dessin, que par les paroles. Au contraire, ceux qui aiment parler n'éprouveront pas le même besoin de s'exprimer autrement que par des discussions avec autrui et se sentiront moins attirés par la solitude de l'artiste.

Les discours — Les orateurs de talent sont souvent des timides. Pour surmonter leur handicap, ils préparent, avec une minutie remarquable, leurs discours et leurs causeries. Les personnes qui n'éprouvent aucune difficulté à converser avec autrui sentiront moins le besoin de polir leurs discours pour donner tout le poids voulu aux messages qu'ils veulent transmettre.

C'est souvent à cause d'un fond de timidité que tel ou tel politicien, conférencier, promoteur ou même vendeur a développé des talents oratoires extraordinaires.

La littérature — Un écrivain doit s'imposer très souvent des longues heures de solitude pour polir le manuscrit qu'il doit remettre à son éditeur. Dans ce cas-là encore, un timide aura beaucoup plus de facilité à s'isoler, pour terminer son roman, son article ou son poème que la personne qui adore les foules.

L'enseignement — La plupart des enseignants, surtout ceux qui se consacrent à des enfants, se sentent timides parmi les adultes. Ils se sentiront, par contre, à leur meilleur devant des jeunes qui ne demandent qu'à se laisser guider et instruire.

Pendant des années de collège, Madeleine, malgré son obésité, était pour ainsi dire passée inaperçue de ses confrères et consoeurs ; quatre années et demie tellement insignifiantes que ses professeurs devaient consulter leurs bulletins de notes pour se rappeler qui elle était. Sa carrière d'enseignante semblait, dès le départ, vouée à l'échec.

Et pourtant, dès les premiers jours où elle se retrouva devant une classe de bouts de choux de sept ans, elle changea du tout au tout. En moins de trois ans, elle allait s'imposer suffisamment, comme professeur, pour que la commission fasse appel à ses services pour donner des cours de perfectionnement à de jeunes collègues. Le vilain petit caneton des contes de votre enfance était devenu un cygne magnifique.

Le timide a souvent le dernier mot

Les personnes les plus à plaindre de notre société ne sont pas les timides, mais plutôt les beaux parleurs qui, dès leur enfance, ont appris à s'imposer grâce à un flot de phrases creuses. Ces gens-là attachent souvent trop d'importance à l'opinion des autres pour s'analyser en profondeur. Ils parlent au lieu d'apprendre ; tout, chez eux, est superficiel.

A long terme, le timide aura un point de vue plus réaliste du monde qui l'entoure que la personne qui ne cesse de jacasser et de chercher les compliments. La conversation a du bon, sans doute, mais il ne faut pas qu'elle devienne une sorte d'excitant qui nuise à la réflexion.

Oui, les timides, aussi, peuvent accomplir des merveilles. Si vous êtes timide, vous êtes en excellente compagnie !

8 COMMENT SOIGNER LA TIMIDITÉ

Chaque esprit a sa propre méthode.
EMERSON

Puis-je surmonter ma timidité ?

Puis-je me mêler aux autres sans ressentir cette anxiété qui, actuellement, me torture ?

M'est-il possible d'espérer, un jour, converser avec autrui sans me sentir obligé de peser chacun de mes mots et sans souffrir le martyre chaque fois que j'exprime une idée ?

A chacune de ces questions, on peut répondre *oui*. On peut surmonter sa timidité. Quel que soit l'âge de celui qui veut se débarrasser de ce handicap, il suffit de suivre patiemment le programme exposé dans ce chapitre.

Il n'existe pas de solution-miracle et le temps qu'il faudra pour régler le problème diffère d'une personne à l'autre : un an, parfois cinq. Cependant, dès le début, on devrait ressentir une certaine amélioration. Le reste se fera progressivement.

Etape no 1 — Le début

Le fait même de lire ce livre est déjà un début de thérapie. Ne vous attendez pas à voir disparaître immédiatement une timidité que vous avez sans doute développée, il y a des années. Si vous aviez commencé le traitement il y a cinq ans, vous vous sentiriez mieux aujourd'hui. Alors, pensez qu'en démarrant maintenant, dans cinq ans votre vie sera changée.

Etape no 2 — Le diagnostic

Il faut déterminer les causes générales de votre timidité. Il est possible que vous n'en compreniez pas toutes les ramifications, mais ce qui compte, c'est de commencer votre investigation.

Déterminez approximativement à quelle catégorie de timides vous appartenez. Si vous faites partie de la catégorie timide-terrifié, vous ne pourrez certainement pas vous passer de l'aide d'un spécialiste. Si vous êtes un timide-anxieux, vous constaterez une amélioration plus rapide et plus complète, si là encore, vous vous faites suivre par un professionnel de la santé mentale.

Etape no 3 — Parlez

Trouvez quelqu'un qui vous écoute pendant que vous explorerez les méandres tortueux de votre esprit. En fait, avec votre interlocuteur, jouez à l'explorateur et vous découvrirez rapidement que votre cerveau recèle tout un monde surprenant et passionnant.

Choisissez quelqu'un qui ne jouera pas au conseiller et qui n'éprouvera pas le besoin de vous dorloter. Il faudra que ce soit quelqu'un qui vous accepte comme vous êtes, et qui comprenne que chaque être peut s'améliorer. Il faudra aussi qu'il soit assez fort pour que vous ne puissiez le manipuler et que, d'un autre côté, il n'essaie pas non plus de profiter de vos tendances à la passivité.

Ne prenez pas un conjoint ou un associé. Il leur serait presque impossible de vous aider à cause, justement, des liens qui vous unissent. Inconsciemment ou non, ils n'ont peut-être aucun désir de vous voir changer.

Ce qui compte surtout, c'est que la personne choisie ne se transforme pas en conseiller, qu'elle ne se lance pas dans des discours quand vous souhaitez le silence, et qu'elle ne décide pas de vous prendre en pitié à cause de votre problème.

Etape no 4 — L'exploration

Parlez... Parlez... Parlez... Une fois votre interlocuteur d'accord avec ce programme, exprimez tous les sentiments que vous ressentez et toutes les idées qui vous viennent à l'esprit. Ne craignez ni l'ennui ni la trivialité. Ce qui compte, c'est que vous parliez, que vous exprimiez vos sentiments du moment. A ce stade, évitez les souvenirs, même les plus récents. Ce qui se produit hors de vos sessions de traitement n'a aucune importance. Faites ou soyez ce que vous voulez faire ou être.

Vous serez tenté de vous excuser, de vous plaindre que vous n'avez rien à dire et de juger tout ce programme comme « une perte de temps ridicule ». Il est possible que vous trouviez anormal de voir devant vous un interlocuteur aussi tranquille et que vous décidiez d'abandonner parce que, selon vous, ça ne peut pas marcher.

En réagissant ainsi, vous ne ferez qu'exprimer votre peur d'abandonner votre attitude passive et sécurisante. La plupart des gens, à cette étape, abandonnent. Si vous êtes capable de résister à la tentation, c'est le début de la guérison. Cette étape peut durer des semaines, même des mois.

Etape no 5 — Prenez conscience de qui vous êtes

A ce stade, faites un effort pour essayer de vous comprendre. La plupart des gens pensent connaître les raisons de leurs relations avec autrui et la dynamique de ces relations, mais, au fait, bien peu se connaissent vraiment à fond. Certains timides-anxieux éprouvent des sentiments intenses qui leur donnent l'impression de se connaître, mais cette connaissance intérieure est superficielle et inexacte. Vous commencerez à découvrir, à ce point du traitement, que vous avez, de façon inconsciente, mais intentionnelle, déformé votre façon de vous voir et de voir les autres.

Tout en parlant, posez-vous la question suivante: *Qu'est-ce que je ressens pour mon interlocuteur?* Au début, vous ne ressentirez presque rien. Puis, vous commencerez à sentir naître en vous une sorte de rancœur à son égard. Vous essayerez, cependant, de vous cacher cette colère, parce qu'il s'agit là d'un sentiment qui ne cadre pas avec votre désir de perfection.

Contrôlez soigneusement ces réactions intérieures. Que ressentez-vous, réellement, au cours des sessions de traitement et pendant les réunions mondaines auxquelles vous êtes invité? Tous nos souhaits révèlent ce que nous attendons véritablement de nous-mêmes et des autres. En fin de compte, les timides ont peur de se laisser aller à leurs sentiments et, surtout, aux actes que ce laisser-aller pourrait entraîner, un commentaire hostile, une attaque contre quelqu'un, un baiser ou un geste de tendresse. Tout en parlant, demandez-vous : *Qu'est-ce que j'attends de moi-même, et des autres?*

Ce qui aide le plus certaines personnes, c'est de se

faire demander de tracer le portrait qu'elles se font d'elles-mêmes et de leur interlocuteur. Analysez cette image et voyez ce qu'elle révèle. Elle vous donnera un aperçu de ce que vous voulez véritablement de l'autre personne. Si elle vous paraît en colère, c'est que vous l'êtes. Si elle vous semble aimable, c'est que vous recherchez de la tendresse. Si vous la voyez distante, c'est que vous avez peur, vous-même, de faire preuve de chaleur et d'affection à son égard. Les sentiments que vous attribuez à l'autre personne, au cours de cet exercice mental, sont probablement ceux que vous ressentez au fin fond de vous-même.

Vous essaierez, à plusieurs reprises, de lui passer la rondelle (pour employer une expression sportive), de lui demander son opinion et d'exiger de lui des explications. Cependant, ce qu'il y a de meilleur pour vous, c'est d'apprendre à vous connaître, vous. Vous vous tromperez peut-être, mais ce qui compte, c'est que ça vienne de vous.

Etape no 6 — Développez votre connaissance de de vous-même

Au début, vous aurez sans doute invoqué des excuses pour cesser votre traitement. Vous aurez critiqué ce programme. Puis, il vous arrivera d'entrevoir les moyens plus ou moins subtils que vous utiliserez pour contrôler les autres et, ainsi, vous cramponner à votre propre passivité. Vous reconnaîtrez votre propre irritabilité, votre peur des critiques et votre soif insatiable de perfection, pour vous-même et pour les autres.

Vous prendrez conscience de tous les plans que vous élaboriez pour amener les autres à agir et à se prononcer à votre place. Vous réaliserez tout ce que vos conversations avaient de superficiel à cause de votre manque d'attention. Vous commencerez à admettre qu'au milieu d'un groupe, vous cherchiez davantage à impressionner les autres qu'à les comprendre. Ce qu'ils sont, ce qu'ils pensent, tout cela n'avait pour vous aucune importance. Face à la réalité, vous avez maintenant la chance de vous transformer et d'entreprendre une vie normale.

Au moment où vous atteindrez ce stade, vous commencerez à réaliser qu'il n'y a rien d'angoissant à se trouver au milieu d'un groupe. Vous dépendrez de moins en moins de votre conseiller. Vous vous sentirez plus complet. Vous aurez surmonté votre peur d'être actif. Vous prendrez conscience de votre force personnelle et des réalités qui vous entourent.

Apprenez à tolérer vos propres sautes d'humeur (particulièrement la colère et la dépression). Elles font partie du cheminement qui vous permettra d'atteindre la maturité. Ne les craignez pas. Elles vous aident à vous découvrir et à préparer des lendemains de bonheur.

Mario est couché sur le divan, incapable de retenir ses larmes. Il pleure de soulagement parce qu'il accepte maintenant sa propre imperfection, et de tristesse, parce qu'il sait qu'il a perdu, pour se faire aimer, 44 ans de sa vie à courir après une perfection impossible. *Je me sens allégé de cent livres*, sanglote-t-il.

Il est normal, pour un homme, de pleurer. Ça ne le serait pas pour un dieu, mais Mario a finalement admis qu'il n'était pas un dieu et que les larmes ne lui étaient donc pas interdites.

La joie et le plaisir ressentis, à ce stade du traitement, sont indescriptibles. Le timide convient qu'il n'a plus à projeter une image idéalisée de lui-même, mais qu'il doit s'accepter tel qu'il est, ni pire ni meilleur. La sensation de délivrance qu'il en éprouve lui fait oublier les mois, les années, les décennies d'angoisse qu'il a vécus.

Il n'y a plus de victime

Tout au long de ce traitement, vous aurez appris à vous connaître intimement et vous aurez surtout découvert que vous n'êtes pas la victime de votre entourage. Au fur et à mesure que vous parlerez, vous vous rendrez compte que non seulement vous n'êtes pas un être sans défense, mais qu'en plus, vous pouvez exercer un certain contrôle sur ceux qui vous côtoient.

Vous mènerez une vie sociale plus active, vous vous sentirez moins anxieux et vous aurez une image plus réaliste du monde entier. Vous vous verrez comme vous êtes, ni monstrueux, ni parfait, mais entre les deux. Vous commencerez à avoir confiance en vous et, par conséquent, dans les autres.

Vous ne voudrez plus être le pôle d'attraction de toutes les réunions mondaines, mais vous n'aurez pas peur, non plus, d'afficher vos sentiments ouvertement. Vous vous sentirez capable d'affection et d'amour.

Principes à se rappeler pendant le traitement

1- Nous sommes incapables de changer, de façon durable, si nous refusons de modifier l'optique que nous avons de nous-mêmes et du monde entier. Tout ce que nous pouvons espérer alors, c'est un changement très temporaire.

2- Une guérison, ça prend du temps. Après bien des années, la timidité est enracinée en vous ; on ne peut l'en extraire sans cicatrice. Le temps n'est pas, en soi, un remède, mais il peut, ajouté aux remèdes, faire effet.

3- La maturité, en grande partie, ne s'acquiert que dans la mesure où il y a interaction avec autrui. Le timide qui ne recourt pas à l'aide d'autrui a peu de chances de mûrir. Ce n'est qu'en parlant en présence d'un autre individu, et en exprimant ses sentiments devant lui, que nous apprenons à nous connaître intimement.

4- Cette connaissance intime de soi-même n'est, cependant, que la première partie du traitement. La seconde se manifeste quand les relations passives entretenues avec « l'autre » ne nous satisfont plus. Aussi longtemps qu'un timide se trouve dans des situations qu'il peut contrôler, tout en restant passif, il ne se donnera pas la peine de changer. C'est humain, les gens ne changent que lorsqu'ils réalisent que les anciennes façons d'être ne donnent plus les résultats escomptés. C'est pour cette raison qu'il est très important, dès le début du traitement, de choisir un auditeur qui n'encouragera pas votre passivité par ses interventions.

5- Les façons de voir changent avec l'expérience. Ce que vous direz, plus tard, aux autres sera différent de ce que vous avez dit pendant votre traitement. Sans changement, il n'y a pas de développement. N'ayez donc pas peur de ces changements d'optique.

6- La perfection n'est pas un but à viser. Prenez plutôt comme idéal de vous accepter en tant qu'être humain normalement imparfait. Vous ne serez jamais un dieu.

7- Egoïsme, colère, perte de mémoire, erreurs, tout cela fait partie de l'être humain. C'est en acceptant de reconnaître nos imperfections que nous deviendrons complètement humains ! Est-il besoin de rappeler aux croyants que le plus grand des péchés est de vouloir la perfection divine ?

9 PERSPECTIVE

Mieux vaut être que paraître.
Devise de LORS SOMERS

La vie n'est jamais parfaite; il y a toujours place à l'amélioration. Nous devons vivre avec nos hauts et nos bas. N'espérer rien moins que le bonheur total, c'est irréaliste — pour ne pas dire pathologique.

Les imperfections dont vous souffrez aujourd'hui ne sont de la faute de personne. Il serait futile d'en blâmer vos parents parce que alors, on devrait remonter jusqu'au déluge.

Dans un sens, vous n'avez même pas à vous blâmer pour votre timidité. Lorsque tout enfant, vous avez choisi d'être passif à l'égard des autres, vous ne vous doutiez certainement pas des conséquences qu'aurait ce choix sur votre vie future. Vous n'êtes responsable ni de votre passé ni de votre avenir, mais vous l'êtes totalement de votre présent. Si vous ne changez pas l'optique que vous aviez dans le passé, de vous-même et de votre entourage, votre avenir ne différera pas de votre présent. Vous ne pouvez vous développer que si vous cessez de vous voir meilleur que vous ne l'êtes réellement.

C'est à vous de décider

Voici, pour référence, treize aide-mémoire qui représentent les points principaux de ce livre. Si vous suivez ces directives, votre timidité ne deviendra qu'un problème mineur et vous découvrirez une vie aux dimensions nouvelles.

1- La timidité n'a pas d'âge. Certaines personnes la dissimulent, mais personne n'échappe, de façon permanente, à l'anxiété.

2- La timidité peut être un atout. Le timide écoute, crée, reflète, planifie, approfondit, épure et embellit. Il est sensible aux besoins des autres et il sera le premier à les aider.

3- Etre timide, ce n'est pas moralement mauvais. L'extraverti sera peut-être plus populaire, mais ça ne signifie pas qu'il aura plus de valeur. La valeur d'un individu dépend de sa personnalité, de son sens des valeurs et de son attitude.

4- La timidité peut résulter d'un très grand nombre de causes. Il n'y a pas deux timides exactement semblables. Chacun a grandi dans un cadre et un milieu différents, chacun a réagi de façon différente à son environnement et chacun solutionnera son problème de timidité d'une façon différente.

5- Même si le timide a tendance à considérer le non-timide comme en meilleure santé mentale que lui, l'extraverti est souvent plus perturbé, lui, et souffre d'un complexe d'infériorité supérieur au sien. Dans les cas extrêmes, l'extraverti est incapable de se regarder en toute honnêteté de peur de découvrir les défauts qui le tracassent.

6- Le timide n'est pas victime de mesures hors de son contrôle. Chacun choisit son comportement et son optique du monde selon les besoins du moment et selon les circonstances. Notre destinée est ainsi façonnée de l'enfance à la vieillesse par des milliers de choix différents.

7- La plupart des gens timides pensent qu'ils étaient intimidés par leur entourage et que ce sont les autres qui leur ont enlevé toute chance d'être fins causeurs. La timidité n'est pas fondamentalement un problème d'habileté oratoire. C'est le choix de rester passif, en présence des autres, pour ne pas briser un rêve de relations parfaites avec eux.

8- La timidité sert souvent à camoufler des sentiments que l'on juge répréhensibles. La plupart des timides sont prêts à endurer l'angoisse et l'embarras que leur cause leur handicap pour nier la colère et la dépression qui les habitent.

9- La timidité est un moyen, pour qui en souffre, d'éviter de changer l'optique qu'il a de lui-même et du monde qui l'entoure. Il se cramponnera à ses rêves plutôt que d'essayer de les réaliser activement.

10- Toute expérience, qui obligera le timide à laisser tomber le masque devant autrui, ne pourra que favoriser son développement. Elle lui permettra de changer de façon bénéfique sa façon de voir les autres et lui-même. La maturité ne peut naître que de l'interaction avec autrui. Les réactions des autres à nos actes sont absolument nécessaires à notre développement.

11- Les changements ne se produisent que graduellement. Les transformations soudaines ne sont souvent que feux de paille. Pièce par pièce, morceau par morceau, lentement, très lentement, notre point de vue sur le monde entier et sur nous-mêmes prendra des dimensions plus réalistes.

12- N'ayez pas peur de ce que vous êtes actuellement. Vous êtes en constante transformation. L'année prochaine, vous serez encore une personne différente. Tous ces changements font partie de votre cheminement vers la maturité. Acceptez-les avec joie. Acceptez-vous tel que vous êtes aujourd'hui et vous admettrez mieux la maturité que vous acquerrez demain.

13- Profitez de chaque expérience, de chaque situation et de chaque rencontre pour surmonter votre timidité.

Acceptez avec ferveur toutes les joies que la vie aura à vous offrir.

EVALUATION DE L'AUTO-ANALYSE

Les réponses aux questions des pages 19 à 22

1- On ne peut pas toujours s'y fier, mais ça peut être un indice de votre état émotionnel général. Le cercle symbolise le désir sexuel, à la fois pour l'homme et la femme. Le carré signifie structure, organisation et sécurité. L'étoile exprime la colère et l'hostilité et le S suggère le relâchement, la désorganisation et l'évasion. Lequel avez-vous utilisé le plus ? Si vous n'avez utilisé qu'un ou deux symboles, cela signifie que vous avez sans doute des problèmes dans les domaines indiqués ci-dessus. Les gens, en meilleure santé mentale, s'amuseront sans doute à les griffonner tous. Si vous vous surprenez à ne pas vouloir absolument utiliser l'un d'entre eux, c'est que vous refusez ce qu'évoque ce symbole.

2- Le rôle que vous avez choisi de jouer vous représente-t-il vraiment tel que vous êtes ? N'est-ce pas plutôt l'image de ce que vous aimeriez être ? S'agit-il d'un rôle secondaire passif, ou d'un rôle dominant actif ? Comment conceviez-vous les différents rôles ? Est-ce que ça vous apprend quelque chose sur la façon dont vous vous percevez vous-mêmes ?

3 et 4- La clé, c'est le « pourquoi ». Avez-vous choisi un animal ou une personne à cause de sa beauté, de sa force, de sa facilité à s'échapper, de sa timidité ou pour

toute autre raison ? L'attitude que vous avez choisie se trouve probablement aux antipodes de ce que vous pensez être en réalité. Cela représente, de façon beaucoup plus exacte, ce que vous souhaiteriez être.

5- Votre autobiographie sexuelle trahira des signes d'immaturité si l'on y décèle l'une ou l'autre des deux tendances qui suivent :

Tendance no 1 — Rejet et anxiété. Avez-vous été d'une franchise totale au sujet de vos rêves et de vos craintes ? Si vous ressentez des inhibitions, c'est que vous n'acceptez pas la sexualité comme une partie normale de vous-mêmes. Vous êtes en proie à des désirs sexuels, mais vous refusez de les admettre.

Les gens qui ont atteint la maturité sont conscients de ce qu'ils sont et n'ont rien à renier. La sexualité n'a rien de répréhensible en soi.

Tendance no 2 — Manque de profondeur, dépersonnalisation et perversion. Beaucoup de gens sont incapables de chaleur envers autrui. Pour eux, la sexualité n'est pas un moyen de communication, mais surtout un moyen de domination, de vengeance ou de jouissance. Avec la maturité, ils devraient changer d'optique. Ce qu'on appelle les perversions (masturbation excessive, fétichisme, voyeurisme, etc.) sont autant de façons d'éviter les relations intimes.

6- L'autobiographie de la timidité.

a) Avec qui êtes-vous le plus timide ?

b) Avec qui l'êtes-vous le moins ?

c) Quelle est l'attitude de ces personnes à votre égard ?

d) Que faites-vous pour éviter cette sensation de gêne ? Des blagues, le coup de la séduction, les ordres ou la soumission ?

e) A quels rêves vous laissez-vous aller ?

f) Que ressentiez-vous quand vos parents vous critiquaient pendant votre enfance ou votre adolescence ?

g) Que ressentiez-vous quand un interlocuteur monopolisait la conversation à votre détriment ?

h) Qu'imaginiez-vous faire pour attirer l'attention de votre famille ou d'un groupe dont vous faisiez partie ?

i) Que faisiez-vous, en fait ?

7- En lisant la façon dont vous avez complété ces phrases, que pouvez-vous apprendre ? Prenez un peu de recul et regardez vos réponses avec objectivité. Faites comme s'il ne s'agissait pas de vous et rédigez un bref résumé sur la personne qui a complété ces phrases. Parlez de ses besoins, de ses vœux, de ses craintes, de ses inhibitions et de sa connaissance des réalités.

Achevé d'imprimer sur les presses de
L'IMPRIMERIE ELECTRA*
*Division du groupe Sogides Ltée

Imprimé au Canada/Printed in Canada